stwff

I0413402
093 5

Golygyddion Cyfres yr Onnen:
Alun Jones a Meinir Edwards

Lleucu Roberts

Argraffiad cyntaf: 2010

Comisiynwyd y gyfrol hon gyda chymorth ariannol Adran Plant,
Addysg, Dysgu Gydol Oes a Sgiliau

Cynllun y clawr: Sion Ilar

Rhif Llyfr Rhyngwladol: 978 1 84771 238 7

Cyhoeddwyd ac argraffwyd yng Nghymru
gan Y Lolfa Cyf., Talybont, Ceredigion SY24 5HE
gwefan www.ylolfa.com
e-bost ylolfa@ylolfa.com
ffôn 01970 832 304
ffacs 832 782

Rhagair

CES GLOBYN O lyfr sgwennu gan Mam Dolig, a llun y *Bugatti Veyron* mawr du mwya bendigedig ar ei glawr blaen e.

'Falle dechreua i gadw dyddiadur,' medde fi heb oedi – a heb fod yn llwyr o ddifri chwaith.

'Paid neud 'ny,' medde Mam. 'Aros flwyddyn fach.'

'Pam?' medde fi'n ddwl reit.

'Am mai newydd ga'l dy beder ar ddeg wyt ti. Bydd pawb yn meddwl bo ti'n treial dynwared Adrian Mole. Tair ar ddeg a thri chwarter o'dd e.'

'Adrian Mole?' medde fi. 'Pwy yffach yw Adrian Mole?'

'Ti ddim wedi darllen dyddiadur Adrian Mole?' holodd Mam yn llawn syndod. 'Beth ma'n nhw'n ddysgu i chi yn yr ysgol 'na?'

Atebes i ddim. Roedd e'n swnio fel cwestiwn rhethregol, a does neb sydd ag owns o synnwyr yn ateb cwestiynau rhethregol. Trwbwl gewch chi o wneud hynny.

'Beth am Anne Frank?' holodd Mam wedyn. 'Tua dy oed di oedd hi, ie ddim?'

'Mam! Do's neb yn mynd i gymharu 'nyddiadur i ag un Anne Frank, oes e?'

Pendronodd Mam. 'Dibynnu os cei di dy ladd cyn i ti'i fennu fe neu beido,' medde hi yn y diwedd.

'Dreia i beido,' medde fi, a dal y llyfr ar agor i fi gael gwynto'r tudalennau glân.

1.

MAE MAM WEDI cael ment.[1]

''Sdim byd yn *gweitho*!' sgrechiodd, cyn gorymdeithio allan o'r tŷ gan fygwth tynnu'r drws oddi ar ei hinjys.

Wrth edrych 'nôl doedd Dolig ddim wedi bod yn berffaith. Ond, ar y pryd, roedd 'na ormod o bethau i'w gwylio ar y teledu, gormod o gêmau i'w whare ar y cyfrifiadur, gormod o oriau o rasio car rownd traciau rasio'r byd ar y *Playstation* i ni sylwi mor amherffaith roedd y Dolig wedi bod yn y bôn.

('Yn y bôn' yw un o fy hoff ymadroddion. Tynnwch bopeth arall i ffwrdd – a beth sy ar ôl yw 'yn y bôn'.)

Difethwyd y cinio Dolig am nad oedd gan Sam 'mo'r gras, medde Mam, i godi oddi ar ei phen-ôl ac ymddihatru ei hunan oddi wrth y cyfrifiadur i fynd i helpu yn y gegin. Nid bai Sam oedd hynny'n llwyr. Mam ei hun oedd wedi cymryd yn ei phen na fyddai Dolig yn Ddolig go iawn heb refi gwyn a grefi brown, tatws rhost a phannas rhost, selsig mewn bacwn (dau fath o selsig), stwffin (tri math), saith gwahanol lysieuyn, tatw newydd a thatw stwmp, a thwrci a oedd yn rhy fawr i'r ffwrn (bu'n rhaid llifio'i goesau â chyllell fara a chodi am dri i'w roi e yn y ffwrn). Erbyn hanner awr wedi wyth y bore, roedd Mam yn fwy o ferthyr na Tudful.

''Wy'n slafo fan hyn heb ga'l gair o ddiolch am neud!'

---

1 Penderfynais mai hunangofiant oedd hwn yn mynd i fod, nid dyddiadur. Hunangofiant am bethau sy'n digwydd wrth i fi sgwennu. (Sy'n debyg iawn i ddyddiadur, 'wy'n cyfadde).

Roedd Ben wedi sicrhau ein bod ni'n codi am dri drwy weiddi dros y tŷ fod Siôn Corn wedi bod felly fe gafodd y twrci ddechrau digon buan unwaith y llifiodd Mam ei goesau. Erbyn pump, roedd pob anrheg yn y tŷ wedi'i agor a'r pump ohonon ni, a Sam a Pip, yn ddigon bodlon ein byd yn whare ein gêmau neu'n ffidlan gyda'n ffonau neu amrywiol declynnau – a Mam wedi sicrhau batris priodol i bawb o bobol y byd (wel, pobol 7 Hewl Pentre 'te).

Fe ffrwydrodd hi gynta o gwmpas canol dydd pan oedd y twrci i fod i ddod mas, y llysiau i'w rhoi mewn powlenni a'r bwrdd i'w osod.

'Do's neb yn codi bys bach i'n helpu i!' gwaeddodd. 'Pe bydde 'da fi wyneb fel sgrin, falle talech chi fwy o sylw i fi! Do's neb ond fi'n neud dim byd yn y lle 'ma!'

Chymerodd 'run ohonon ni fawr o sylw am fod Mam yn gweiddi rhyw fersiwn o hyn o leia bedair gwaith y dydd – dyna shwt rydyn ni'n gwbod fod popeth yn iawn. Pe bai hi'n anghofio ei weiddi'n rheolaidd, fe fydden ni'n dechrau becso a meddwl bod rhywbeth o'i le. Normalrwydd ma'n nhw'n ei alw fe.

Ta waeth, a tha p'un 'ny – gan 'y mod i'n hyddysg yn iaith y gog a'r hwntw, gan mai gog yw Sam – aeth deuddydd heibio cyn i Mam gael ei ment yn iawn. Deuddydd braf ar y pryd o wneud dim byd ond gwagswmera'n ddiog ar ein teclynnau ceblog a chweryla ymysg ein gilydd pwy gâi whare beth, a thaflu dwrn at ambell declyn oedd i *fod* i weithio ond nad *oedd* e ddim – fel bydd pobol rownd adeg y Dolig am wn i. Ond wrth edrych 'nôl, roeddwn i wedi dechrau sylwi fod Mam dan fwy o straen nag arfer. Bob tro y byddai un o'r pump ohonon ni'n agor ceg i leisio cwyn am ryw gêm neu declyn neu'i gilydd, byddai Mam yn mynd yn hen ffasiwn i gyd a dweud rhwng dannedd caeedig mai melltith oedd yr oes gyfrifiadurol hon a bod ei Nadoligau hi'n blentyn yn braf ac yn gyfle i ymlacio, heb ddim o'r straen sy'n gysylltiedig â Nadoligau diweddar. Disgwyliwn iddi ddechrau pregethu mai dim ond oren a gâi hi yn ei hosan Dolig, a mentres awgrymu hynny unwaith. Fe daflodd hi slipyr (newydd) ata i.

Ddiwrnod ar ôl Gŵyl San Steffan, roedd pawb gatre a'r sgyrsiau arferol yn hedfan yn yr aer.

'Oes batris 'ma?' sgrechiodd Elliw gan ddal ei hei-pod uwch ei phen. 'So hwn yn gweitho!'

'Ma'r cyfrifiadur wedi marw!' medde Rhodri gan ddod i mewn. 'Dreies i lwytho'r gêm ga'th Ben 'da Siôn Corn ac a'th y sgrin yn ddu!'

'Tria'r cyfrifiadur arall,' gorchmynnodd Sam wrth geisio gwneud pen neu gynffon o'r gêm roedd Elliw wedi'i chael ar gyfer y *Wii*.

'Ma'n oer 'ma,' cwynodd Gwenno. 'Dyw'r gwres canolog ddim 'mla'n!'

'Nag yw,' cytunodd Mam, 'a ddaw'r plymyr ddim mas cyn Calan.'

'Ma-a-m!' cwynodd Gwenno. 'Fydda i wedi rhewi!'

'Treia *di* ga'l gafel ar rywun 'te! Dwi wedi ffono *saith* rhif plymyr, a 'sdim *un* wedi ffono fi 'nôl heblaw'r un sy moyn wythnos o wylie cyn dod i'r golwg!'

'Digon i neud ti'n Dori,' mwmiodd Sam o dan ei gwynt. ''Di'r bobol 'ma ddim *isio* gwaith?!'

Taflodd Mam edrychiad beirniadol arni – ond wnaeth hi ddim dadlau.

'*Pa graphic card*?' bloeddiodd Rhodri ar y loptap, ond ddwedodd y loptap ddim byd 'nôl wrtho fe. Felly trodd at Mam: 'Mae e'n gweud fod ishe *graphic card* gwahanol! Pam na fyddet ti wedi'i jeco fe cyn 'i brynu fe?!'

'Ma Sky wedi torri,' cyhoeddodd Ben wrth ddod i mewn i'r stafell.

'Y *pin number*! Rho'r *pin number* i mewn!' gwaeddodd Gwenno.

'Oes rhywun yn gwbod beth yw'r *pin number*?' holodd Ben. Doedd neb.

'Yffach Colin!'[2] rhegodd Rhodri a tharanu ei ffordd allan o'r stafell. Baglodd dros gebl y clustffonau oedd yn sownd wrth y loptap ar y bwrdd gan dynnu fe'i hunan a'r loptap i lawr glatsh ar y llawr. Bloeddiodd Rhodri, gan wneud i ni feddwl ei fod wedi torri ei goes o leia. Ond doedd e ddim, wedi colli ei dymer oedd e am ei fod e wedi cael ei faglu. Rhuthrodd Mam draw ato – a baglu ar gebl y teledu bach newydd ail-law oedd i fynd 'da'r *X-box*.

Wna i ddim cofnodi rheg Mam, ond roedd ei sŵn yn bygwth tynnu'r to lawr ar ein pennau ni i gyd. Er mwyn i chi gael syniad, y *stwff* oedd wrth wraidd ei rhwystredigaeth – y *stwff* oedd yn bygwth ei gwneud hi'n wallgof. 'Wy'n rhyw feddwl mai 'stwff trydanol' mae hi'n ei olygu yn y bôn, nid holl stwff y bydysawd. Ceblau a lîds ein byw a'n bod, sgriniau ac allweddellau, cyfrifiaduron, *consoles* gêmau, setiau teledu – yr holl glindarddach i gyd.

Ta beth a tha p'un 'ny. 'Nôl i'r stydi â Mam, bron iawn

---

2 Efallai y dylwn egluro tarddiad yr ebychiad yma. Pan oedd Gwenno'n iau, fe sgwennodd hi stori fel rhan o'i gwaith cartref gan ddefnyddio 'Yffach gols!' fel rheg heb fod yn rhy anweddus. Beth bynnag, fe aeth y stori – a'r rheg – drwy hen wiriwr sillafu oedd ar y cyfrifiadur, a chafodd 'Yffach gols' ei newid yn 'Yffach Colin'. Ers hynny, mae 'Yffach Colin' wedi gwreiddio yn rhan o eirfa gynhenid ein haelwyd fach hapus.

â ffrwydro, ond heb wneud eto – roedd hynny i ddod ymhen tri chwarter awr union.

Pan oedd hi wrthi'n gorffen rhyw waith oedd ganddi i'w orffen cyn Dolig, na chafodd amser i'w orffen am fod cymaint o redeg ganddi i'w wneud, fe benderfynodd ei chyfrifiadur gwaith nad oedd am barhau i gario'i channoedd o ffeiliau gwaith – ac mi lawrlwythodd y cwbwl lot i'r seibrofod gan anghofio rhoi cyfeiriad post. Hynny yw, fe gollodd Mam ei gwaith i gyd. Tynnodd ei sgrech bawb ohonon ni i'r stydi – sy'n beth anarferol ynddo'i hun gan fod sgrech Mam fel arfer yn sŵn rydyn ni i gyd yn gymharol fyddar iddo o ddydd i ddydd.

'Be sy'n bod, 'mach i?' gofynnodd Sam, a'i llygaid yn llawn consyrn.

'Paid â 'ngalw i'n "bach"!' chwyrnodd Mam fel llosgfynydd yn deffro. ''Ych bai chi yw hyn i gyd!'

Dechreuodd Sam brotestio mai'r cyfan roedd pawb arall yn ei wneud oedd mwynhau diogi dros y gwyliau, a bod croeso i Mam wneud yr un fath ond ei bod hi'n mynnu tynnu gwaith arni hi ei hun ben bwy'i gilydd. Gwyddwn mai camgymeriad ar ran Sam oedd dilyn y fath drywydd. Gwrandewes arni'n ceisio lleddfu tymer Mam drwy ei hannog i 'anghofio am y gwaith' gan wybod mai taflu petrol ar y fflamau oedd hi ac y dôi ffrwydrad arall unrhyw funud. Weithiau, mae'n anodd gen i gredu bod Sam a Mam wedi bod 'da'i gilydd ers ugain mlynedd a Sam yn siarad â hi fel pe na bai hi'n nabod dim ar y fenyw.

'Ty'd o 'na, cariad,' medde Sam. 'Ty'd i ista efo ni. Gad y gwaith. A gad y gwaith tŷ. Ma'n rhaid i ti ddysgu sut i ymlacio!'

Dyna pryd y glaniodd y printiwr ar droed Sam gan wneud i honno weiddi'n uwch nag y'i clywes yn gweiddi erioed.

A dyna pryd y martsiodd Mam allan o'r tŷ, ei hwyneb fel tomato a dagrau'n llifo i lawr ei bochau gan weiddi: 'Ma'r lle 'ma'n llawn stwff! A 'sdim byd yn *gweitho*!'

Disgwyliwn iddi ddod yn ôl ymhen chwarter awr, fel y gwnaeth y troeon eraill i gyd – ond ddaeth hi ddim. Bu'n rhaid i Sam yrru i'r Adran Ddamweiniau ei hun, gan ddefnyddio'i throed chwith i frecio a chyflymu, ac fe gafodd *X-ray* i wneud yn siŵr nad oedd asgwrn wedi'i dorri yn ei throed. (Doedd dim, ond roedd ei throed hi'n las). A daeth amser swper, a neb â digon o galon i wneud bwyd.

A dim Mam.

Dywedodd Gwenno, fy chwaer hynaf, fod 'Mam wedi cael ment', ac erbyn heddiw (fory ddoe, felly – y diwrnod ar ôl i Mam fynd) a hithe heb ddod yn ei hôl, 'wy'n dechrau cytuno 'da hi.

2.

RYDYN NI'N DEULU digon cyffredin. Fi yw'r un canol – 14 oed ers tri mis, yr ail fachgen a'r trydydd plentyn. Mae gen i frawd a chwaer sy'n hŷn na fi – rial poenau yn y pen-ôl, y ddau – a brawd a chwaer sy'n iau, sy'n llai o boenau yn y pen-ôl, ond sy'n 'y nghyfri *i* yn boen yn y pen-ôl, fel y ddau hynaf. A finne wedi croesi trothwy'r arddegau fy hun, mae blynyddoedd glaslencyndod wedi tynnu'r gwaetha allan o Gwenno (17) a Rhodri (15). Un blewog yw Rhodri.[3] Dyw e ddim wedi siarad ers dwy flynedd – dim ond mwmian fydd e, fel pe bai e wedi dal rhyw glefyd arddegol sy'n effeithio ar

---

3 Newydd ddarganfod fod gan ddynion dros 5 miliwn o flew ar eu cyrff. Nawr, galla i gredu hyn yn achos Rhodri. Mae ganddo fe fwy o flew nag epa – gallech chi neud carped mas o'r blew mae'n eu gadael ar ôl yn y gawod bob bore, ac mae e'n siafio ers pan oedd e'n iau na fi.
'Wy'n sylwi ar fwy o drwch i'r tyfiant blew ar 'y nghorff i mewn rhai mannau ond mae mannau eraill yn edrych fel pen-ôl babi o hyd: yn benodol, fy ngwefus uchaf. 'Fe ddaw pan dorrith dy lais di,' medde Sam. Mae hi'n gwybod, achos mae ganddi frawd.
Fascinating Animal Facts (Gol. Lucy Doncaster), Hermes House, 2007 roddodd y ffaith am y blew i mi. Dydw i ddim wedi bod yn eu cyfri oll yn unigol – a beth bynnag, os mai cyfartaledd y blew sy gan ddynion a menywod yw 5 miliwn, fe fydden i'n tybied fod gan Rhodri yn agosach at 10 miliwn, a Ben â rhywbeth yn debycach i 1 miliwn. Byddai hynny'n rhoi cyfartaledd o 5 miliwn (angen gofyn i Moi Maths jecio hyn*). *Wedi gwneud: mae'n anghywir. Ac yn lle rhoi'r ateb i fi, fe awgrymodd Moi Maths fy mod yn gweithio'n galetach a dod o hyd i'r ateb fy hun. Pwrs.

ei allu i agor ei geg yn iawn. Mae'n rechwr heb ei ail er hynny – ac 'wy'n amau bod ei allu anhygoel i agor ei dwll tin rownd obowt wedi cyfyngu ar ei allu i agor ei geg i siarad. Daw unrhyw gyfraniad sydd ganddo i'r ddynoliaeth allan drwy'r twll isaf.

Agor ei cheg *ormod* fydd Gwenno – i gwyno. Does dim byd byth yn iawn. Caiff ei gwylltio gan rechfeydd Rhodri, gan swnian Ben (7) ac Elliw (10), gan fy nhalent i i ddweud pethau sarcastig wrthi, gan Mam a Sam – a chan y ddynoliaeth, a bodolaeth yn gyffredinol. Un diben sydd i fywyd, sef mynd mas. Mae'n treulio oriau yn y stafell molchi a'i stafell wely yn paratoi i fynd mas, ac wedyn fe fydd hi'n treulio oriau ac oriau mas. Mas mae ei byd hi – nychdod ymylol yw'r gweddill ohonon ni. Mae ganddi griw o ffrindiau rhy niferus i fi gofio pwy yw pwy, ac yn y bôn, maen nhw i gyd yn edrych yr un fath â'i gilydd, yn ôl beth wela i. (Sodlau Eiffelaidd, sgertiau maint macyn, mwy o jangyls nag oedd gan y caethweision yn America,[4] gwalltiau'n union yr un hyd gan bob un a chroen oren-frown, tebyg i liw dolur rhydd babi).

Mam sy'n cadw'r olew i redeg ym mheiriant 7 Hewl Pentre.

---

4 Gyda llaw, a wyddech chi fod 1 o bob 9 Americanwr 20-34 oed sydd o dras Affro-Caribiaidd yn y carchar? Prawf fod caethwasiaeth yn dal yn fyw ac yn iach yn yr UDA. Mae Americanwyr du yn cael eu cadw mewn tlodi ar ymylon cymdeithas a'u carcharu'n ddigwestiwn pan feiddian nhw roi troed o'i le. Fe ddarllenes i hynna yn *Guardian* Miss Cymraeg oedd yn pipo mas o dan *Te yn y Grug* ar ei desg hi. 'The Land of the Free', myn yffach i! Dwi am fod yn chwyldroadwr cymdeithasol pan dyfa i'n fawr. Mae gen i lun o Martin Luther King ar fy wal, rhwng Gwynfor a Fernando Torres.

Wps! Beth achosodd i fi sgwennu hynna nawr? Rhaid 'mod i'n gweld ei cholli hi ar ôl dim ond diwrnod. Ond wrth ddadansoddi pethau, fel bydd rhywun weithiau, mae'n rhaid 'mod i'n iawn. Hi yw'r olew. Hi sy'n gwneud. Hi sy'n rhedeg ac yn gweithio. Pe bai hi'n olew distaw, ufudd, anferthyraidd, falle na fyddai problem. Ond mae hi'n olew sy'n rhegi, yn sgrechian ac yn methu *derbyn* mai hi yw olew ein tŷ ni. Hi sy'n gweithio, hi sy'n cadw'r tŷ'n daclus (!), yn golchi llestri a dillad, yn gwneud bwyd. Ei dyfynnu hi ydw i nawr, ond mwya 'wy'n meddwl am y peth, ches i ddim crystyn o ddim byd i'w fwyta ers iddi'n gadael ni ddoe.

Prif waith Sam[5] yw prynu pethau oddi ar *e-bay*, ac yn ei hamser hamdden mae hi'n cael gwaith achlysurol fel egstra. Actores mae hi'n galw ei hun – ac awdur. Mae hi eto i ddangos tystiolaeth o'i gallu fel awdures ond mae'n dal i haeru mai 'ymchwil' yw'r gêmau *Playstation* mae hi'n eu whare rownd obowt, a'r gêmau cyfrifiadurol a'r *box sets* o raglenni teledu. Mae'n debyg iawn i dad Cai Tshops o ran hynny (actor yw e hefyd). Fe ddwedodd Gwenno unwaith ei bod hi'n cofio Sam yn mynd bant i Loegr i weithio ar ffilmiau gwpwl o weithiau pan oedd hi'n fach, ac roedd Rhodri'n rhyw lun ar gofio hefyd. Dwi ddim yn cofio dim byd, a weles i erioed ffilm 'da Sam ynddi, sy'n gwneud i fi feddwl falle nad ffilmiau ar gyfer plant oedden nhw...

---

5 Er gwybodaeth, a rhag ofan na sylwoch chi, Mam a Sam sy gan fy chwiorydd a fy mrodyr a fi, nid mam a thad. Dwi erioed wedi meddwl llawer amdano fe ond mae fy ffrindiau, a rhai o'u rhieni nhw, i weld yn obsesd 'da'r peth. Maen nhw'n holi shwt beth yw byw mewn teulu fel teulu ni a does byth syniad 'da fi shwt i ateb achos 'wy ddim wedi byw yn nheulu neb arall i allu cymharu, odw i?

Oes rhywun 'wy wedi'i anghofio? Nag oes, neb – heblaw Pip, falle. Mynd a dod i'n tŷ ni bydd Pip, fel ci strae. Fydda i byth yn cofio'n iawn a yw e'n byw 'da ni neu beidio. Mae ganddo gynlluniau ar y gweill mewn llefydd eraill, ond diawch o ddim byd ar y gweill yn ein tŷ ni. Mae e fel clustog. Clustog neis – ond clustog er hynny.

Ta beth a tha p'un 'ny. Am ddiwrnod ar ôl i Mam fynd lawr yr hewl at Mam-gu, roedd hi'n nefoedd yn 7 Hewl Pentre. Mae'n wir fod Sam yn cnoi ei hewinedd ychydig mwy, ac yn talu llai o sylw i'w gêmau ar y cyfan. Mae'n wir fod tomen o lestri wedi casglu rownd y sinc yn y gegin, a thomen fwy nag a weles erioed o ddillad wedi cyrraedd y llawr o flaen y peiriant golchi dillad. Ond doedd neb i'w weld yn sylwi nac yn poeni. Fe gawson ni bedair awr ar hugain o ryddid i orweddian a whare a dadlau heb gerydd a gwneud fel fyd a fynnen ni, cyn i Sam gyhoeddi y byddai'n well iddi fynd i weld lle roedd Mam.

Roedd Mam-gu eisoes wedi ffonio i ddweud bod Mam gatre 'da hi, felly allwn i ddim deall Sam yn becso lle roedd hi. Roedd Gwenno wedi dweud yn blwmp ac yn blaen bron cyn i Mam gyrraedd yr hewl y dôi'n ei hôl ar ôl iddi gwlio, a phawb ohonon ni wedi cytuno â hi (am unwaith).

Cicio'i sodlau yn y gegin roedd Sam – nid ei sodlau, ond ei thrênyrs, ond awn ni ddim i hollti blew neu yma fyddwn ni am byth. Cnoi ei hewinedd a whare 'da'i gwallt. 'Beth sy'n bod?' gofynnes i. 'Dim byd,' medde hithe, a finne'n gweld yn iawn bod rhywbeth mawr o'i le gan nad oedd 'na gebl yn agos ati. 'Meddwl,' medde hi wedyn a stwffio'i gwallt yn ôl nes ei fod y tu mewn i gefn ei siwmper. 'Am Mam,' medde fi. Nid cwestiwn, dweud.

'Cadw lygad ar y lleill, Gut,' medde hi wedyn wrth fynd allan.

Lawr yr hewl mae Mam-gu yn byw, felly fuodd dim rhaid i Sam gerdded ymhell. Fe fydde hynny wedi'i lladd hi. Es i whare'r gêm roedd hi wedi'i gadael ar ei hanner, nes i'r ceblau fynd ar fy nerfau i. Dechreues feddwl falle bod 'da Mam bwynt am yr holl 'stwff'.

Mae tŷ ni fel jyngl o geblau. Mae 'na saith cyfrifiadur yma i gyd – oll oddi ar *e-bay* – ond rhyw draean ohonyn nhw sy'n gweithio. Ac mae *Playstation*, *X-box*, *Nintendo DS* a *Wii*. Ac mae 'na bymtheg o ffonau symudol – oes, achos dwi wedi'u cyfri! – a saith neu wyth ohonyn nhw'n gweithio. Mae 'na allweddellau sy wedi torri a gitars trydan a byth lîd na jac iawn i allu eu whare, a phedwar printiwr – a dim ond un falle, ar binshad, yn gweithio. Mae 'na offer trin gwallt, offer coginio, naw teledu (oes wir!) a thri a hanner yn gweithio – un â ric[6] arno, felly hwnnw 'wy'n gyfri fel hanner. Pe gosodwn bob cebl a lîd yn ein tŷ ni ben wrth gynffon, fe fydden nhw'n cyrraedd y lleuad. Wir nawr. 'Wy hanner awydd gwneud, er mwyn i ni gael rhai modfeddi'n fwy o le i symud, ond fel mae hi, mae'r cyfan blith draphlith, ynghlwm yn ei gilydd, ar wahân i lond llaw sy'n sownd wrth socedi – neu *extension leads* gan nad oes digon o socedi yn y sir i bob plwg yn y tŷ 'ma.

Nid cyfoeth sy'n gyfrifol am ddod â'r fath doreth o declynnau i'r lle – er bod Mam yn gwneud yn go lew yn gweithio o gatre – ond gallu digamsyniol Sam i fachu'r fargen orau ar *e-bay*. Mae hi'n byw a bod ar y peth, yn ychwanegu mwy a mwy o drysorau ceblog at ein gwaddol jynglaidd, cordeddog.[7] Ac wrth gwrs, mae 'na lot ohonon ni i'n cadw'n

---

6 Yr ig neu hic-yps.

7 Fe ges i 'cordeddog' i'w ddefnyddio mewn brawddeg sy'n gwneud synnwyr mewn prawf Cymraeg, ac fe ges i e'n iawn, felly 'wy am ei ddefnyddio fe'n amlach o hyn mas.

ddiddig, felly mae gofyn cael casgliad go deilwng o gêmau, neu fydden ni'n gwneud dim byd ond gweiddi (mwy) ar ein gilydd.

Mae Sam yn dipyn o arwr i fi, fel bydd tadau'n arwyr i'w meibion. Dyw hi byth yn pregethu, fel bydd Mam, am gyfiawnder hyn a'r llall, yr-iaith-amgylchedd-homoffobia-crefydd-globaleiddio. Chlywes i erioed 'mo Sam yn dweud gair am yr-iaith-amgylchedd-homoffobia-crefydd-globaleiddio, ond mae Mam yn pregethu byth a hefyd am ryw agwedd neu'i gilydd ar yr-iaith-amgylchedd-homoffobia-crefydd-globaleiddio.

Fe fydda i'n ei chlywed hi'n sgrechian mewn stafell ar ei phen ei hun yn aml – sgrechian gwahanol i fytheirio am rywbeth wnaeth un ohonon ni, neu ar ryw declyn sy'n herio'i hawdurdod a'i chyflwr meddwl hi drwy beidio â gweithio fel y dylai. Bytheirio fydd hi am fod rhywun neu'i gilydd ar y teledu neu'r radio wedi dweud rhywbeth twp sy'n groes i'w phregethau am yr-iaith-amgylchedd-homoffobia-crefydd-globaleiddio. Ac mae 'na andros o lot ohonyn nhw ar y teledu ac ar y radio. Fe gefes sioc y diwrnod o'r blaen wrth ei chlywed hi'n bytheirio wrthi ei hun yn y stafell molchi, a finnau'n gwbod nad oedd sgrin deledu na radio'n agos at y stafell honno – nes sylweddoli mai darllen papur wrth gael cachiad oedd hi. Crefydd oedd testun ei phregeth. 'Shwt alli di alw Cristnogaeth yn grefydd oddefgar?' bloeddiai ar lythyr mewn colofn lythyrau yn y papur o'i blaen, cyn gollwng un arall – plop! 'Pwy gei di'n fwy anoddefgar na phobol capel?' Plop arall. Rhaid bod gwylltio'n gwneud i bethau symud yn well y tu mewn iddi, meddylies.

Weithiau, mae hi'n ei cholli hi yn y car. Wiw i ni droi'r radio 'mlaen, jyst rhag ofan bod rhywun yn trafod rhywbeth a hithe ddim yn cytuno, neu'n fwy peryglus byth, rhag ofan bod Jonsi 'mlaen, neu un o'r cyflwynwyr yn whare cân Saesneg. Ac mae hi wedi mynd yn ddiawch o anodd osgoi cân Saesneg ar Radio Cymru. Anoddach nag osgoi cân Saesneg ar Radio Un, ddwedwn i. Mae Mam wedi dod yn agos iawn iawn at grasio'r car sawl gwaith wrth weiddi ar y radio a rhegi'r BBC.

'Un sianel radio sy *'da* ni!'

A'i dau ddwrn yn dyrnu'r awyr gan adael y llyw i'w drywydd ei hun. Pe bai hi'n cael crash, gallen ni fynd â Radio Cymru i'r llys a'u cael nhw i dalu am drwsio'r car a rhoi iawndal i Mam am eu bod nhw'n whare caneuon Saesneg. Os yw e'n dweud ar y botel mai 'Radio Cymru' yw e, wedyn radio Cymru ddyle fe fod. Yn y bôn, mae i Radio Cymru whare recordiau Saesneg fel gwasgu past dannedd mas o diwb sy'n dweud 'past dannedd' tu fas – a chael llond ceg o domato piwre oddi ar eich brwsh.

Damo, 'wy'n dechrau swnio fel Mam eto, ond 'na'r pwynt 'wy'n treial ei wneud: nid ei dadleuon hi sy'n fy ngwylltio i, ond y ffaith ei bod hi'n hela holl oriau'r dydd yn gwylltio am bethau. Does 'da fi ddim yn erbyn ei phregethau hi. 'Wy'n cytuno 'da'r rhan fwya ohonyn nhw yn y bôn. Ond beth sy 'na'n fwy dibwynt na sgrechian ar lythyr mewn papur newydd neu lwmpyn o radio mewn car? Fe fydd hi'n mynd ati weithiau i sgwennu llithoedd o atebion i'r papur, sianel deledu neu radio i ddadlau yn erbyn rhyw safbwynt neu'i gilydd fu'n achos dros fytheirio, ond erbyn y bore, fe fydd hi wedi anghofio am y llith, ac wedi dechrau pregethu am rywbeth arall.

Mae Mam yn *right on*. Ond fe fydden i wrth 'y modd pe bai hi'n llai swnllyd ei right-onrwydd weithiau, a naill ai'n rhoi'r cyfan ar bapur a'i anfon e i bedwar ban byd – YR EFENGYL (DI-DDUW) YN ÔL MAM – neu'n ceisio osgoi cael ei gwylltio gan bethau yn y lle cyntaf, a derbyn mai pobol ffaeledig yw gweddill trigolion y ddaear drwy'r trwch sy'n anghytuno 'da hi. Galle hi ddechrau mwynhau bywyd wedyn yn lle teimlo fod rhaid iddi gweryla drwy'r amser. Pan fydda i'n chwyldroadwr cymdeithasol, fe fydda i'n gofalu cymryd amser bant i ymlacio.

Ta beth a tha p'un 'ny, ac yn y bôn, roedd y pedair awr ar hugain ar ôl i Mam gael ei ment a gadael y tŷ wedi bod yn rhai hynod o ddistaw a di-straen.

Daeth Sam yn ei hôl heb Mam a heb ddweud rhyw lawer o ddim. Roedd Mam wedi'i hanwybyddu yn nhŷ Mam-gu, wedi cau ei cheg yn glep am unwaith heb ddadlau 'nôl na phregethu na chweryla. Roedd hynny ynddo'i hun yn rhyfedd, medde Sam. Yn ddigon i gadarnhau ei bod hi, yn swyddogol, *wedi* cael ment. Neidiodd Elliw at Sam a thaflu ei breichiau am ei hysgwyddau i'w chysuro, er nad oedd ôl gofid yn drwm ar Sam. Fydd hi byth yn dangos ei theimladau – mae Mam yn gwneud hynny drosti.

'Ffowcyn Ellis!' rhegodd Gwenno wrth sylweddoli na fyddai Mam yma i fynd â hi i'r dre at ei ffrindiau yn y car.

'Paid â rhegi,' medde Sam, fel peiriant.[8]

Ta beth a tha p'un 'ny, fel y dwedes i, yn ei hôl heb Mam

---

8 Handi cael prifathro sy hefyd yn rheg. Ffowc Elis yw ei enw fe, a phawb yn ei alw'n Ffowcyn – yn ei gefn. Dim perthynas i Islwyn Ffowc Elis mae'n debyg achos gofynnes i iddo fe ar y diwrnod cynta'n ôl ar ôl gwyliau'r haf beth oedd e'n feddwl o *Cysgod y Cryman* ac fe edrychodd e arna i fel pe bawn i wedi gofyn iddo fe beth oedd e'n feddwl o'r cryno ddisg *Bwyd Time* gan Gorky's Zygotic Mynci. 'Llai o'r dwli 'na,' medde fe'n swta cyn cerdded yn ei flaen ar hyd y coridor.

y daeth Sam. Dechreuodd Ben swnian am swper, a Sam ddim yn cofio lle roedd Mam yn cadw'r sosbenni. Dechreuodd Gwenno gwyno nad oedd ganddi deits tenau, di-dwll, glân, a dechreuodd Elliw brotestio fod angen cynnau tân, ei bod hi'n rhewi, ond doedd dim syniad gan Sam lle roedd Mam yn cadw'r matsys chwaith.

Es i fy stafell i sgwennu fy hunangofiant – sef hwn – a sylweddoli 'mod i heb ddechrau yn y dechrau o gwbwl, fel bydd hunangofiannau, a heb ddilyn llinyn amser na dim.

Does gen i ddim awydd mynd yn ôl i'r dechrau – mae hynny'n ddiflas. Pryd ges i 'ngeni, bla bla bla... Pedair blynedd ar ddeg yn ôl, gatre mewn twba dŵr yn y stafell ore, yn y tŷ hwn, heb fod ymhell iawn oddi wrth Mam – 'na i gyd sy 'na i wybod.[9]

Yr hyn sy ddim yn ddiflas ar hyn o bryd yw diflaniad Mam. Felly fe sgwenna i am hynny a thynnu'n groes i gonfensiynau sgwennu hunangofiannau.[10]

Falle daw hi'n ôl fory.[11]

---

9 'Wy ddim yn siŵr am y twba dŵr na gatre yn y tŷ – efallai mai hoff o'r syniad ydw i.

10 Mae'r geiriau 'ma yn hir! Bydd rhaid cyhoeddi'r hunangofiant yn ddwy gyfrol os 'wy'n parhau i ddefnyddio geiriau fel hyn a 'cordeddog'.

11 'Wy ddim yn teimlo fel sgwennu rhagor wedi'r cyfan – ma rhaglen am Che Guevara yn dechrau ar y teledu mewn pum munud, a gan 'y mod i'n mynd i fod yn chwyldroadwr cymdeithasol a moyn rhoi llun o Che lan ar wal fy stafell wely, feddyles i falle dylen i wybod rhywbeth amdano fe. (*Nodyn i fi'n hunan – cofio bod rhaglen nos fory am Barack Obama sy angen i fi ei gwylio am yr un rhesymau).

3.

WYTH DIWRNOD WEDYN.[12] 'Na pryd weles i Mam gynta ar ôl ei ment. Roedd Sam wedi dweud mai eisiau sbel fach ar ei phen ei hun i ail jarjo'r batris oedd hi, ac wedi gofyn i ni gadw draw o dŷ Mam-gu am rai dyddiau iddi gael llonydd. Doedd Ben nac Elliw ddim wedi gwneud fel y gofynnodd Sam – bu'r ddau yno droeon – ond Sam oedd y gyntaf i'w hamddiffyn drwy ddweud fod pethau bach fel nhw yn siŵr o weld colli Mam, felly roedd hi'n iawn iddyn nhw fynd. A thra'u bod nhw yno, fe wnaeth Mam-gu bryd o fwyd i'r ddau jest rhag ofan nad oedden nhw'n cael digon i'w fwyta gatre.[13]

Lle o'n i?

O ie. Es i ddim i dŷ Mam-gu. Fe welwn fod synnwyr yn angen Mam am frêc. Fe lwges i raddau, do – ond roedd tri

---

12 Roedd y rhaglen am Che yn wych. 'Wy'n safio lan i brynu beret.

13 Ddwedodd hi ddim o hyn wrthyn nhw wrth gwrs, ond dyna yw fy nehongliad i o'r ffaith eu bod nhw wedi cael llwyth o jips a bîns a chacennau pysgod ganddi, y diawliaid lwcus. Er gwybodaeth, fyddai Mam-gu ddim yn dweud dim i ladd ar Sam. Mae Sam yn smala – mae hynny'n wybodaeth gyhoeddus, a Sam ei hun yn gwbl ymwybodol o'r ffaith. 'Didoreth' ys gwede Mam-gu – ond fydde hi byth yn galw Sam yn ddidoreth. Whare teg, ma Mam-gu yn meddwl bod yr haul yn disgleirio mas o ben-ôl Sam – er mawr rwystredigeth i Mam weithiau. Galla i ddychmygu fod Mam-gu wedi treial ei gorau i ga'l Mam i ddod 'nôl aton ni ac at Sam ers wyth niwrnod, ond mae Mam yn gallu bod yn benstiff.

phryd o sirial a thafell o fara nawr ac yn y man yn 'y nghadw i rhag marw ar 'y nhalcen.[14]

Yn yr ysgol o'n i pan weles i Mam. Wedi dod yno i gweryla roedd hi – fel bydd hi. Cweryla am ei bod hi wedi cofio, yn sydyn reit yn nhŷ Mam-gu, fod ganddi asgwrn i'w grafu 'da Ffowc. Roedd Gwenno – am mai Gwenno yw hi – wedi penderfynu dilyn ei chwrs Daearyddiaeth Lefel A drwy'r Saesneg, a neb o'r athrawon wedi gwrthwynebu ei phenderfyniad. Roedd Mam wedi gwylltio'n benwan 'da Gwenno 'nôl ar ddechrau'r tymor cyntaf, ac yn dal i fod wedi gwylltio, ond roedd Gwenno – mor benstiff â Mam yn ei ffordd ei hun – yn Gwrthryfela.[15]

Doedd Gwenno ddim yn mynd i ddilyn ei chwrs drwy gyfrwng y Gymraeg. A doedd Mam, o fod wedi methu â thorri drwodd at Gwenno, ddim am adael i Ffowc fethu fel y methodd hi 'da'i merch.

Rhaid bod y tantro 'da Ffowc wedi digwydd, achos ei gweld hi'n gadael yr ysgol wnes i. Methes gadw rhag rhedeg ati.

---

14 Yw rhywun yn gallu marw ar ei dalcen? Mae'n swnio'n dda, ond byddai'n ddiddorol gwbod.

15 Rydyn ni'n gwneud thema Gwrthryfel yn y gwersi Cymraeg. Fe allen i ddysgu un neu ddau o bethau i unrhyw athrawes neu athro sy'n cyflwyno'r thema yn ysgolion y wlad. Mae Gwrthryfel i'w weld yn nramâu Saunders Lewis ac yng ngherddi Gerallt Lloyd Owen, ond does 'na'r un gwrthryfel fel Gwrthryfel Gwenno. Mae hi'n treulio'i nosweithiau yn ei gwely yn dadansoddi'n fanwl beth yw'r safbwynt sy'n union wrthbwynt i safbwynt Mam ar unrhyw beth yn y byd i gyd a dyna wedyn fydd ei safbwynt hi ar y mater. Tasg i chi: meddyliwch beth yw'r ddau begwn eithaf posib mewn unrhyw ddadl sy'n ymwneud ag yr-iaith-amgylchedd-homoffobia-crefydd-globaleiddio – a dyna fydd safbwyntiau Mam a Gwenno ar eu pen.

‘Mam!’

Trodd Mam ata i a gwên fawr ar ei hwyneb. Cusanodd fi sawl gwaith a choches sawl gradd o goch wrth feddwl pwy o fy ffrindiau allai fod yn gweld.

‘Guto! ’Wy wedi dy golli di!’ meddai, ond wnes i ddim dweud yr un peth yn ôl wrthi hi, er ’mod innau’n gweld ei cholli hithau hefyd pe bawn i’n bod yn berffaith onest. Roedd y tomennydd dillad a llestri yn bygwth waliau mewnol y tŷ bellach a dau neu dri ohonon ni wedi dechrau golchi dillad unigol yn sinc y stafell molchi gan nad oedd neb yn dyall y peiriant golchi dillad.

‘Pryd ti’n dod ’nôl?’ gofynnes, gan drio swnio fel pe na bai rhithyn o ots gen i mewn gwirionedd.

Anadlodd Mam yn drwm a newid y pwnc.

‘Yw Sam yn cadw llygad ar y ddau fach?’ gofynnodd.

‘Wrth gwrs ’ny.’ I’r graddau bod cadw llygad yn golygu fod ganddi ryw fath o syniad ym mha ran o’r sir roedd ‘y ddau fach’ ar unrhyw adeg o’r dydd.

‘Wyt ti’n dal i orfod mynd i’r gwasanaeth yn y bore?’ holodd Mam wrth gofio am sgyfarnog arall.

Codes fy ysgwyddau. Gallwn ddweud celwydd a gwadu, ond roedd mynd i’r gwasanaeth wedi dechrau ymddangos yn llai o drafferth na pheidio mynd, a Mam ddim gatre i holi bob dydd.

‘Cofia di gadw’n glir. Os nad wyt ti’n credu’u crefydd nhw, i beth ei di i wrando ar ’u hen ragfarne nhw?’

’Wy’n cadw ’nghlustie ar gau drwy’r gwasanaeth beth bynnag – fel y rhan fwya o fechgyn fy oed i – ond y brotest oedd y peth i Mam, nid yr egwyddor yn ei hanfod.

‘Pryd ti’n dod ’nôl?’ holes eto i osgoi pregeth yr anghredinwraig fwya yn hanes cred. Roedd mwy o angerdd yn y cwestiwn y tro hwn.

Meddyliodd Mam am rai eiliadau. 'Gawn ni weld,' meddai'n ddistaw. 'Fe fydd rhaid i bethe newid gynta.'

Aeth Mam. Ar ôl gafael amdana i'n dynn a rhoi sws fawr arall ar 'y nhalcen i. Edryches o 'nghwmpas. Doedd dim golwg o Cai Tshops, Gruff Banana, Andrew Hyll na'r un o'r bechgyn eraill, diolch byth.

'Dy fam neu dy fam oedd honna?' holodd Lisa Snow, bron cyn i fi orffen anadlu fy anadl o ryddhad. Roedd hi wedi bod yn oedi yn y cysgodion, yn ein gwylio mae'n rhaid. Yn barod i ofyn y cwestiwn, achos un ddeifiol yw Lisa Snow wedi bod erioed.

Codes fy ysgwyddau – yn poeni dim am yr hyn a ddylai fod wedi brifo, falle. Ond roeddwn i wedi hen arfer â chellwair maleisus, fel nad oedd e'n teimlo fel malais ddim mwy. Dim ond cellwair – rhwng ffrindiau fel arfer.

Ond Lisa Snow oedd hon, Lisa Snow a'r tafod siarp. Lisa Snow, gast a hanner. Lisa Snow – duwies yr holl fydysawd.

4.

DAETH MAM I'R tŷ i wneud rhyw waith roedd yn rhaid iddi ei wneud ar y cyfrifiadur.

Bu'n gweithio am awr a hanner a sŵn ei bysedd yn atseinio drwy'r tŷ anarferol o dawel. Doedd Sam ddim yn whare gêm. Doedd yr un ohonon ni'n whare gêm. Doedd yr un o'r setiau teledu wedi'u tanio, na'r un gwich o ffôn symudol na loptap[16] i'w glywed. Eisteddai pawb ohonom fel robots yn y lolfa. Neu mi fydden ni wedi bod yn eistedd fel robots ar wahân i'r ffaith fod angen mwy o le ar robotiaid i eistedd fel robotiaid er mwyn iddyn nhw allu edrych fel robotiaid. Eistedd fel sardîns a wnaem ni (er na weles sardîns yn eistedd erioed), a Sam yn cnoi ei hewinedd yn ddistaw o flaen y tân. Cafwyd bocs matsys newydd o'r siop yn absenoldeb y bocs roedd Mam wedi'i roi yn rhywle cyn diflannu y diwrnod ar ôl Gŵyl San Steffan.

Wedi awr a hanner, bu tawelwch hirach pan stopiodd Mam deipio. Daliasom ein gwynt (y gorberffaith, sylwch!). Daeth Mam i mewn i'r lolfa.

Anadl ddofn. Saib.

'Beth wna i 'da chi, gwedwch?' gofynnodd yn drist.

'Ty'd 'nôl,' medde Sam yn ddistaw. Da iawn Sam. Gwybod pryd i ddweud y peth cywir yn y lle cywir. 'Ma'r

---

16 Gan fy mod yn defnyddio'r term hwn am liniadur droeon, rhaid cydnabod mai'r actor a'r dramodydd Mei Jones* sy bia'r hawlfraint arno. (*Wali Tomos, hynny yw, oedd yn arfer bod yn brif gymeriad mewn comedi deledu reit lwyddiannus ar S4C cyn i fi gael fy ngeni).

tŷ 'ma fel dymp,' medde hi wedyn. Na, ddim ffor'na ma mynd, medde fi wrthi yn fy mhen. 'Dim ond ti sy'n gwbod sut i gadw trefn arno fo,' medde Sam wedyn. Na, na, na, dechreuodd y llais yn fy mhen ei cheryddu. Nid fel 'na ma mynd o'i chwmpas hi!

'Moyn caethwas wyt ti, ife?' gofynnodd Mam.

'Naci,' medde Sam. 'Isho cariad. *Ti* 'di 'nghariad i.' Whiw, bac on trac!

'O's raid i ti fod mor benstiff?' grwgnachodd Gwenno, yr archbenstiffes, wrth Mam gan fygwth pob gobaith am gymod. Cau dy geg, Gwenno, medde fi wrthi tu mewn. Ond doedd Gwenno ddim mewn tymer cymodlon iawn: darganfu yn ystod y dyddiau cynt fod Mam wedi bod yn siarad 'da Ffowc amdani a'i dewis i astudio Daearyddiaeth drwy'r Saesneg. Roedd hi wedi bytheirio wrth Sam am Mam er na wyddai Sam ddim oll am ymweliad Mam â Ffowc. Roedd golwg arni fel pe bai hi ar ffrwydro, gan fygwth dargyfeirio'r broses heddwch oedd wedi cychwyn mor addawol.

Ond, am unwaith, ni chymerodd Mam yr abwyd. Daliai i syllu ar Sam. 'Fe fydd rhaid i bethe newid,' meddai.

'Mi wnân nhw newid!' plediodd Sam. ''Na i'n siŵr 'u bod nhw'n newid! Mi olcha i lestri, mi frwsia i'r llawr…' meddai, a rhedeg allan o orchwylion domestig eraill gan nad oedd hi'n gyfarwydd â'r maes o gwbwl.

'Fe nei di fwy na hynny,' medde Mam.

'Fatha *be*? Jyst deud, a 'na i o!' medde Sam yn ysig.

Edrychodd Mam arni'n hir. 'Os nad wyt ti'n dyall beth sy *ishe'i* newid, dwyt ti ddim yn barod *i* newid,' meddai'n dawel a throi ar ei sawdl a mynd allan gan slamio'r drws ychydig bach yn dawelach na'r tro diwethaf.

'Ffowcyn Ellis!' ynganodd Rhodri yn rhyfeddol o glir am

unwaith, cyn troi am ei stafell yn ei dymer.

Es at Sam wrth ei gweld yn rhwbio dagrau o'i llygaid a rhoi fy llaw am ei hysgwyddau. All hi ddim help bod yn hi ei hun fwy nag y gall Mam help bod yn Mam. Fel 'na mae hi yn tŷ ni – pawb yn sownd yn beth ydyn nhw.

Glaniodd Pip o Basingstoke i ganol y cwbwl, ddwy funud ar ôl i Mam ddiflannu lawr yr hewl at Mam-gu.

Ddim o Basingstoke mae e'n dod, ond o'r fan honno daeth e'r diwrnod hwnnw. Mae e'n dod o rywle gwahanol bob tro. 'Wy ddim yn siŵr ai ffrind i Sam neu ffrind i Mam oedd e'n wreiddiol, ond mae e'n debycach i Sam nag yw e i Mam yn ei ffyrdd – ac yn fwy felly. Gall Pip iste mewn bag ffa am saith awr solet yn whare *Grand Theft Auto* ar y *Playstation* – sy'n dipyn o gamp, credwch chi fi. Y peth rhyfedd am Pip, neu am Mam, yw na fydd Mam byth yn gweiddi ar Pip fel bydd hi'n gweiddi ar Sam neu arnon ni am 'wastraffu'n bywyde' neu am fynd i 'olchi llestri' neu 'glirio'n stafelloedd' ac ati. Dim ond dweud 'rial dyn' fydd hi amdano fe. Sy braidd yn annheg a gwan ar ei rhan hi: am ei fod e'n ddyn yn hytrach na dynes neu blentyn, mae e'n cael gwneud fel mae e eisiau. Fe fydd yn rhaid i fi dynnu ei sylw at y rhagrith bach yna ar ei rhan pan fyddwn ni 'nôl yn deulu normal.

Neu *os* byddwn ni byth 'nôl yn deulu normal, ddylwn i ddweud?

Ta beth a tha p'un 'ny. Fe ddaeth Pip â llond llaw o gêmau yn ôl 'da fe o Basingstoke – pethau ar gyfer pob peiriant whare yn y tŷ – a fuon ni i gyd fawr o dro'n anghofio am ymweliad Mam ynghanol rhialtwch y whare. (Rhialtwch – gair arall i fi gofio'i ddefnyddio fe, ond nid mewn cyd-destun crefyddol. Mae e'n fy atgoffa o Ann Griffiths).[17]

17 Yr emynyddes (1776-1805).

Fe sylwes ar Sam a Pip yn siarad yn dawel yn y gegin, ac yn cau'r drws arna i yr eiliad gwelon nhw fi'n dod i mewn. Siarad am Mam a'i ment, mae'n siŵr, er nad oedd Pip i'w weld fawr trymach ei wedd ar ôl i Sam ddweud wrtho fe. Prin fydd emosiwn yn gwawrio dros wyneb Pip byth. Mae 'na rywbeth eitha lloaidd amdano fe, rhywbeth 'ar goll yn ei fyd ei hun'. 'Wy am ofyn iddo fe rywbryd beth mae e'n wneud yn y llefydd mae e'n mynd iddyn nhw, ond mae 'na ddarn bach ohona i'n amau falle mai teuluoedd eraill normal, tebyg i ni, sydd yn y llefydd hynny hefyd a fynte'n cymryd ei le'n ôl yn eu plith nhw fel pe na bai e erioed wedi gadael, fel bydd e yn tŷ ni. Gog yw e, fel Sam, er ei bod hi'n anodd iawn dweud; fel Rhodri, nid cyfathrebu yw *forte* Pip. Llwydda i ynganu ambell 'ai' neu 'hai' a 'bo' ac 'y' a allai fod yn 'ia' neu'n 'na' neu'n 'wmbo'...

Aeth e mas gyda'r nos wrth i fi roi stori nos da i Ben am ei fod e'n gwen'yno, a safodd Sam yn y drws i'w wylio fe'n mynd. Fe aeth hi i'r drws ddwy waith wedyn yn yr hanner awr nesa, nes daeth Pip yn ei ôl, codi ei sgwyddau ar Sam, a mynd i whare ar yr *X-box*. Wnaeth Sam ddim holi, dim ond derbyn ei godi ysgwyddau fel methiant ymgais arall i gymodi yn y 'rhyfel oer' sy'n amgylchynu'n teulu ni y dyddiau hyn.

Erbyn y bore wedyn, roedd Pip wedi gadael – i Warwick y tro hwn, yn ôl Sam. A finne arfer meddwl mai enw bachgen oedd Warwick.

5.

MARSHMALLOWS YW HOFF fwyd Lisa Snow. A *Smirnoff Ice* yw ei hoff ddiod hi ers iddi flasu peth ar y slei nos Calan cyn dwetha mewn parti roedd ei rhieni'n ei gynnal i grachach y dre. Mae hi wrth ei bodd yn dweud wrth ei ffrindiau shwt meddwodd hi'n gaib garlibwns a hithe ddim ond yn dair ar ddeg oed ar y pryd. 'Wy'n rhyw feddwl bod 'na damaid bach o lastig ar ei stori hi, fy hunan, ond mae'n dangos cymaint o dalent sydd ganddi i ddweud stori. Dawn y cyfarwydd mae Miss Cymraeg yn ei alw fe. Ac mae'n rhaid parchu honno (dawn y cyfarwydd, ddim Miss Cymraeg).

Y rheswm pam 'wy'n gwbod beth yw ei hoff fwyd hi (Lisa Snow) a'i hoff ddiod hi yw achos bod 'da fi glustie fel rêdar ynghylch pob dim sy'n ymwneud â hi. 'Wy'n gwrando am ei henw hi pan fydd y merched yn siarad ymysg ei gilydd fel tyrchod ar yr iard. Ac 'wy'n clywed ei llais hi o ben pella'r ysgol. Fe alwodd Gruff Banana hi'n bitsh ar ôl iddi fod yn tynnu arno fe am wisgo sbectol (yn dilyn y digwyddiad anffodus 'da'r banana llynedd), ac 'wy'n cytuno 'da fe gant y cant, ond bitsh yn yr ystyr neisa posib yw hi. Mae hi wrth ei bodd yn lladd arna i, diolch byth – am fy enw (Gut x 2: *git* ynde, a 'gyt' os darllenwch chi fe'n Saesneg fel mae e wedi'i sgwennu); am y ffaith mai Mam a Sam sy 'da fi; am fod yn swot (mae hi o'r farn fod pawb sy'n cael dros 60% mewn arholiad Cymraeg yn swot, cofiwch, felly dyw e ddim yn dweud rhyw lawer am fy neallusrwydd i – mwy am ei lefel deallusol hi, falle); ac am beth arall, dwedwch? Am unrhyw beth y gall hi, yn y bôn.

Ac 'wy wrth 'y modd 'da'i sylw hi wrth gwrs. Pe bawn i'n gallu tyfu dau gorn ar fy mhen er mwyn iddi dynnu arna i yn fwy didrugaredd byth, fe wnawn i hynny fel bollt. 'Wy'n ceisio rhoi'r argraff iddi fod ei geiriau hi'n cyrraedd y targed, drwy beidio ateb 'nôl ac edrych damaid bach yn drist, ond y gwir amdani yw 'mod i wedi hen dyfu croen o'r crud am rai pethau, ac mae hynny wedi fy helpu i 'da phethau eraill, fel nad yw geiriau cas yn achosi fawr ddim dioddefaint i fi.[18] 'Wy wedi dysgu ers pan o'n i'n fach mai'r sawl sy'n gwawdio sydd â'r broblem fwyaf bob tro, nid y sawl sy'n cael ei wawdio. Ac fe ddweda i hynny wrth bobol eraill hefyd – ond ddim wrth Lisa Snow. Y funud y gwêl Lisa nad yw ei geiriau hi'n gwneud dolur i fi, fe fydd hi'n rhoi'r gorau i dynnu arna i. A dyna'r peth ola 'wy moyn.

Ac ar ben hynny, mae 'da fi dipyn o drueni drosti. Dyw pethau ddim yn hawdd arni gatre. Mae ei thad, y Barnwr William Powell Preece-Snow (os gwelwch chi'n dda!), yn whare sili byrgyrs 'da menyw siop y cigydd yn dre ers blynyddoedd ac mae'n wybodaeth gyhoeddus i bawb – gan gynnwys Lisa a'i mam am wn i, yn ôl y ffordd mae pawb yn sôn yn agored am y peth. Dyw Lisa ddim yn dod o deulu un-rhiant, ddim cweit, ond mae e'r un fath â phe byddai hi, mae'n siŵr, pan fydd yn well 'da'ch tad hela'i amser 'da chigyddes yn hytrach nag athrawes Gerddoriaeth bêr-ei-llais

---

18 Rhag ofan bod rhai ohonoch chi sy'n darllen wedi dechrau mynd i gymryd trueni drosta i. Wir nawr, arbedwch eich dagrau: mae digon o bethau eraill gallwch chi lefen yn eu cylch nhw, fel yr amgylchedd, rhywogaethau o anifeiliaid sy'n diflannu oddi ar wyneb y ddaear, a diffyg dealltwriaeth cynghorwyr o effaith cau ysgolion bach gwledig ar y Gymraeg. (ⓗ Mam)

a hardd-ei-gwedd.[19] Mae'n siŵr bod y straen a'r feibs yn eu tŷ nhw gan gwaith gwaeth nag yn tŷ ni ers i Mam gael ei ment. Rhyw hic-yp dros dro yw hynny, fel sy'n digwydd mewn teuluoedd normal, nid rhywbeth sy'n gadael craith am byth, fel mae anffyddlondeb y barnwr â'r bwtsiar yn siŵr o'i wneud ar Lisa, druan.

Rheswm arall pam 'wy'n gwbod pob dim sy 'na i wybod am Lisa Snow yw 'mod i'n gwglo'i henw hi o dro i dro a daw cyfle i ddarllen darne bach o beth mae hi wedi bod yn ei ddweud wrth ei ffrindiau ar *My Space*. 'Wy ddim wedi mentro cadw llyfr sgrap amdani eto rhag ofan i Mam neu Sam ddod ar ei draws wrth chwilio am rywbeth arall, a ta beth, 'wy ddim yn byrfyn. 'Wy i ddim yn barod i neb wybod 'mod i mewn cariad – ac fe fyddai'n well 'da fi farw na gadael i Lisa Snow ei hun wybod.[20]

Mae meddwl am Lisa fel hyn yn gwneud i fi anghofio am gatre am damaid bach. Lle digon diflas yw e ar hyn o bryd. Dyw Sam ddim yn gwneud dim byd heblaw cnoi ei hewinedd am yn ail â whare'r *Playstation*. Ac mae'r gweddill ohonon ni'n dal i geisio byw fel roedden ni'n byw ac yn cwyno am ein bod ni wedi rhedeg mas o lestri i fwyta oddi arnyn nhw a dillad i'w gwisgo. Un noson, wythnos neu ddwy yn ôl, fe wnaeth Sam ryw lun o roi'i throed lawr drwy fynnu bod Gwenno'n 'tynnu bys allan a golchi llestri' ac fe wrandawodd hi yn y diwedd – a GOLCHI LLESTRI!

---

19 Pam ddwedais i hynna? Hen hwch hyll yw Sarah-Snob, Cerdd! Yr unig beth hardd amdani yw ei bod hi'n fam i Lisa Snow.

20 Mewn byd delfrydol, fe fydden i wedi cwympo mewn cariad 'da rhywun sy'n rhannu fy safbwyntiau am y byd a'i bethau – 'da cyd-chwyldroadwr cymdeithasol. Ond fel 'na gwelwch chi: tynnu at y gwahanol mae magned, nid at ei debyg. All neb reoli'n hollol ei deimladau.

Fe wnes i'n siŵr 'mod i'n tynnu'i llun hi wrthi neu fyddai neb byth yn credu bod y fath wyrth erioed wedi digwydd. 'Wy hanner whant mynd â 'nghamera i ddangos y llun i Mam achos falle byddai'r sioc o weld Gwenno o fewn chwe troedfedd i'r sinc yn ddigon i ddod â hi gatre. Neu falle ddim.

Rai dyddiau wedyn, daeth galwad ffôn gan Misus Parry, ysgol fach, moyn gair 'da Sam. Fi atebodd y ffôn, ac fe waeddes ar Sam – dim sôn amdani. Galwes ar Rhodri i alw ar Sam, ac fe regodd e fi'n glir fel cloch, yn ddigon uchel i glustiau Misus Parry glywed ochr arall y ffôn, am i fi feiddio gofyn iddo fe wneud rhywbeth. Galwes yn uwch ar Gwenno a chafodd Misus Parry lond clustiaid nerthol arall o regfeydd. Penderfynes beidio â dirprwyo rhagor. Roedd Sam yn gwylio DVD yn yr atig a fuodd 'na regi a gwen'yno wedyn wrth iddi faglu ar y stepiau lawr oddi yno. Ond newidiodd yn llwyr wrth siarad ar y ffôn 'da Misus Parry. Rhagrith maen nhw'n ei alw fe. Roedd hi'n gwenu fel llidiart ac yn chwerthin yn ysgafn wrth sôn am y 'Dolig tawel fu hi arnan ni – mor dawal â fedrach chi ddisgw'l hefo'r llond tŷ sy gynnon ni yma' a'r syndod fod 'na 'homar o flwyddyn arall wedi mynd i rywla, tewch â sôn!'. Roedd hi'n eitha sbort gwrando arni'n siarad 'dag acen ogleddol fwy trwchus na'i harfer dim ond am mai Misus Parry oedd hi – yr unig Gog arall rhwng tŷ ni a'r dre. Ac wedyn, fe sobrodd hi, a dechrau siarad yn ei hacen arferol.

'Pam?' Saib. 'Oes rhaid…? Allwn ni'm trafod dros y ffôn?' Saib hir. Ochenaid gan Sam. Ac ildiad. 'Wel, dwi'n brysur iawn…'

Bron na allwn glywed Misus Parry'n tagu ar ei thafod wrth glywed hynna. Ond honno gafodd y llaw uchaf mae'n rhaid, achos daeth Sam oddi ar y ffôn a dweud fod yn rhaid iddi fynd i'r ysgol i gael gair 'da'r brifathrawes. Yr eiliad honno. Wnaeth hi ddim manylu, dim ond saethu edrychiad bygythiol at Ben a oedd yn y broses o lowcio crwstyn sych ac wedi clywed pob gair.

'Beth?' holodd Ben a'i lais yn llawn sialens – yn euog cyn ei erlid. 'Dim ond rhegi nes i! Do's dim byd yn bod ar weud "*God*". Wedodd Mam mai Duw tila sy'n pisd off jyst am bo ni'n rhegi.'

Aeth Sam mas heb ei geryddu. Teimlwn drosti braidd: Mam oedd wedi bod yn rhoi'r safonau moesol i ni erioed, a'r eironi cas oedd mai ar ôl i Mam adael roedd trwbwl yn dod yn sgil gosod y fath safonau. A Sam oedd yn gorfod wynebu'r storom. Trois i gael gair 'da Ben am yr hyn a fu'n digwydd yn yr ysgol ond doedd dim golwg ohono. Rhaid ei fod wedi penderfynu diflannu i whare 'da'r bechgyn yn y pentre yn hytrach na gwrando ar ei frodyr a'i chwiorydd hanner call a dwl yn ei rybuddio i gallio.

Ceisies feddwl sut groeso a gâi Sam yn yr ysgol. Dychmygwn Misus Parry'n dweud: 'Fedrwch chi ddim cadw rheolaeth ar 'ych gwraig, Ms Tomos?' Ond gwyddwn yn iawn hefyd na fyddai Misus Parry yn mentro i'r fath gors. Does neb ar y tu allan yn gwbod yn iawn sut i gyfarch Mam na Sam. Mam a Sam ydyn nhw wedi bod i ni o'r crud, a Ms Tomos a Ms Tomos ar lythyrau am fod y ddwy wedi priodi (diwrnod da oedd hwnnw! – *lot* o sbort a bwyd a drachte bach slei o gwrw Pip pan nad oedd e'n edrych). Mae pobol ar y tu fas yn tueddu i ystyried Mam fel mam – am mai dyna yden ni'n ei galw hi, mae'n siŵr, ond hefyd am mai hi sy'n gwneud y pethau mamaidd. A Sam fel tad, am fod ei rôl yn ein magu yn fwy anelwig am wn i, fel sy'n wir am dadau.

Daeth Sam yn ei hôl ar ôl hanner awr, a golwg fel pe bai

hi wedi bod trwy fangl arni.[21]

'Beth wedodd hi?' gofynnodd Gwenno, yn dangos diddordeb yn rhywbeth ar wahân iddi hi ei hunan am y tro cyntaf erioed. Trueni na fyddai modd tynnu llun o hynny hefyd.

Cododd Sam ei hysgwyddau. Edrychai bron mor ifanc â Gwenno – am ei bod hi wedi bod yn llefen, mae'n siŵr. Gallwn weld y cochni rownd ei llygaid hi'n glir.

'Holi be sy'n mynd ymlaen yma,' eglurodd gan edrych ar y llawr. 'Ben 'di bod yn… 'di rhoi lle iddi gredu fod petha ddim yn iawn adra.'

'Shwt le?' holodd Gwenno wedyn. 'Beth ti'n feddwl, "lle iddi gredu"?'

'Rhegi, cicio, brathu.'

''Na be ma plant bach yn neud,' medde Gwenno wedyn, gan ddangos hyd a lled ei holl ddealltwriaeth o blant.

'Pan ma'n nhw'n ddwy oed, ia,' medde Sam. 'Ma Ben yn saith.'

Cododd Gwenno'i hysgwyddau'n ddi-hid a mynd yn ôl i feddwl am ddim byd ond hi'i hunan unwaith eto.

'Anaeddfed yw e,' cynigies i. Cydymdeimlwn â Sam yn gorfod gwneud yr holl bethau 'ma fel siarad 'dag athrawon a wynebu'r trwbwl yr arferai Mam ddelio ag e.

'Brathu *athrawon*…?' Cododd Sam ei phen i edrych arnon ni.

'Pob *un*…?!' gwichies fel merch fach Blwyddyn Un.

'Miss Jones, Babanod,' medde Sam.

'Jiw, dim ond un. Fydd e'n iawn. Dyw e ddim angen gweld seiciatrydd os mai dim ond un athrawes gnoiodd e.'

---

21 Dywediad bach da, pe bai gen i unrhyw syniad beth yw mangl.

Anwybyddodd Sam fy ymgais i gysuro.

'Ddudis i wrthi ei fod o siŵr o fod yn gweld colli'i fam, ac egluro'r sefyllfa.'

'Wel, 'na fe 'te.'

'Y peth ydi,' ychwanegodd, a golwg euog ar ei hwyneb, 'dechreuodd hi ofyn cwestiyna, a gollish i 'nhymer efo hi.'

'Shwt gwestiyne?'

'O'n i'n neud yn siŵr ei fod o ac Elliw'n ca'l brecwast bob bora, o'n i'n gwisgo côt amdano fo i fynd i'r ysgol pan ma'r tywydd yn oer…'

Gwyddwn yn iawn mai llond llaw o fisgedi gafodd Ben i frecwast y bore hwnnw, a sawl bore arall, ond Ben oedd hynny: fe oedd yn mynnu, ac i beth âi Sam i'w dynnu i'w phen drwy secu *Coco Pops* lawr ei wddwg e – stwff sy beth wmbreth yn waeth na bisgedi, ddwedwn i. A gwyddwn hefyd na wnâi Gordon Brown a Carwyn Jones yn gweithio fel tîm byth lwyddo i gael Ben i wisgo cot os nad dyna oedd e moyn wneud, beth bynnag fo'r tywydd.

'Beth wedest ti wrthi?'

''I chyhuddo hi o bigo arna i am fod yr hyn ydw i.'

'Beth – pwdwr?'

Anwybyddodd fy ymgais at hiwmor.[22] 'Peth ydi, fysa hi ddim yn mentro pigo ar un o'r tadau yn yr un ffordd.'

'Na fydde…?' Mae'n rhaid i fi gyfadde nad oedd dim byd yn yr hyn roedd Sam yn ei ddweud ddwedodd Misus Parry yn rhoi lle i gredu mai rhagfarn oedd wrth wraidd ei phryder. Byddai wedi galw Mrs Rhiant Perffaith a Mr Rhiant Perffaith o Tŷ Perffaith, Ffordd Berffaith, Y Nefoedd i mewn am sgwrs pe bai eu mab annwyl saith oed wedi bod yn ymddwyn

---

22 Mae'r hiwmor gorau'n cynnwys mesur nid ansylweddol o'r gwirionedd. (ⓗ Miss Cymraeg)

unrhyw beth yn debyg i Ben.

'Alwish i hi'n gwcw…' Cododd Sam ei llaw at ei cheg fel pe bai hi newydd gofio.

'Ddim y peth gwaetha allet ti fod wedi'i galw hi.'

'… ac yn hwch unllygeidiog.' Tawodd cyn ychwanegu: 'Dim unllygeidiog – rŵan doth hwnna i fi.'

'Swno'n dda ta beth.'

Ond doedd fy ngeiriau yn fawr o gysur i Sam. Gwyddai y byddai llygaid barcud y brifathrawes yn ein gwylio'n barhaus am esgus i dynnu mwy o drwbwl ar ein pennau. Cwcw a hwch. Cyfuniad diddorol.

'Pam nest ti fe?' gofynnes i Ben ar ôl cyrraedd y gwely y noson honno.

'Neud beth?' gofynnodd Ben o'r bync oddi tanof gan ddangos mai gallu pysgodyn aur sydd ganddo i ddwyn pethau i gof.

'Cnoi Miss Jones, Babanod.'

''Wy'n lico Miss Jones,' atebodd Ben ar ôl ystyried am eiliad.

'Ma 'da ti ffordd dda o ddangos 'ny!' ebyches.

'O's,' medde Ben, heb owns o synnwyr eironi'n agos iddo fe. 'Ma Miss Jones yn…' Pendronodd dros ei ddewis o ansoddair. '… sgwiji,' meddai ymhen hir a hwyr.

'Sgwiji?' Pwyses fy mhen dros ochr y bync i rythu arno'n anghrediniol.

'Ie,' medde Ben. 'Ma hi'n *tasto*'n neis, ti'n gwbod.'

Na. Rhaid i fi gyfadde nad oeddwn i ddim.

'Ti'n meddwl gallet ti beido neud 'ny o nawr 'mla'n?' mentres ofyn.

'Ocê,' atebodd yn syth.

Roeddwn i'n anghywir. *Mae* angen seiciatrydd arno fe.

Mae'n rhaid bod yr ofan o fod wedi gorfod wynebu Misus Parry wedi effeithio'n drwm ar Sam. Erbyn y bore wedyn, roedd hi wedi dechrau troi yn rhywun arall. Ddim yn weledol, ond o ran ymddygiad. Dechreuodd osod y larwm am hanner awr wedi chwech bob bore er mwyn cael trefn ar y tŷ cyn i ni godi, ac er mwyn paratoi uwd i Ben ac Elliw, a oedd eu dau'n casáu'r stwff ond yn fodlon ei fwyta os rhown i bedair bisgïen yr un iddyn nhw ar y slei wedyn i'w bwyta ar eu ffordd i'r ysgol. Dechreuodd Sam siopa – profiad newydd iddi – a synnu at gymaint o ddewis roedd yr archfarchnad yn ei gynnig, fel pe bai hi newydd ddeffro o'r saithdegau. Doeddwn i erioed wedi'i gweld yn siopa bwyd yn fy myw o'r blaen.

Dechreuodd olchi dillad, ac o fewn deuddydd neu dri roedd hi wedi deall y peiriant. A chafodd fore o waith fel egstra ar gyfres gomedi affwysol o ddihiwmor oedd yn mynd i ddod 'nôl ar y sgrin am bedwaredd cyfres o artaith, a llwyddo i fancio'r pres poced a gafodd am wneud heb wario ceiniog ar ddim byd oddi ar *e-bay*.

Yna, wythnos yn ôl, o fewn dyddiau'n unig i feistroli'r peiriant golchi, roedd Sam wedi cael job! Un go iawn, oedd yn golygu eistedd yn y londyrét yn dre yn derbyn dillad brwnt gan bobol, eu golchi, eu sychu a'u rhoi nhw 'nôl i bobol yn lân rhwng naw o'r gloch y bore a thri o'r gloch y prynhawn bob diwrnod ar wahân i benwythnosau.

Ond mae gan ffawd ei driciau ei hun i'w whare na all dyn amgyffred dyfnder eu creulondeb.[23] Fore echdoe, bore dydd

23 Fe ddoth hwnna, ac 'affwysol' ddau baragraff yn ôl, mas o hen lyfr ar bregethwyr y bedwaredd ganrif ar bymtheg sy ar silff lyfrau Mam. Dim ond digwydd ei agor wnes i a dyna lle roedd y frawddeg yna! Rhaid i fi gofio 'affwysol', 'amgyffred' a 'creulondeb' – er 'mod i'n gwybod beth yw 'creulondeb' yn barod, ond mae gwahaniaeth rhwng gwbod ystyr gair a dysgu arfer ei ddefnyddio.

Sadwrn, wedi wythnos o fod yn fam go iawn, go *iawn,* i ni (yn yr ystyr o forwyn fach, os gwede Mam), roedd Sam yn haeddu teirawr ychwanegol yn y gwely. Gadawodd y pentwr o ddillad ysgol ar lawr y lolfa a'r stafell molchi; gadawodd bentwr llestri'r noson cynt yn y sinc, ynghyd â bocsys *McDonalds* y swper sypreis gawson ni i ddathlu'r ffaith ei bod wedi coginio swper lled-fwytadwy a digon maethlon i ni fel teulu bob un noson am wythnos; gadawodd i ni sgrechian ar ein gilydd fel arfer a rhegi a thynnu gwalltiau – a chysgodd gwsg y cyfiawn.[24]

Chlywodd hi ddim o'r gnoc ar y drws ffrynt – fwy nag y clywodd neb arall ohonon ni. Neu o leia, chymerodd neb sylw o'r gnoc. Roedd Rhodri wedi gafael yng ngwddw Gwenno am ddwyn ei *PSP* a'i sodro'n erbyn y wal. Roedd Ben yn tanio matsys a'u taflu ar lawr y gegin i weld fyddai'r tân yn cydio yn y mat. Roedd Elliw wrthi'n torri bara sych â'r gyllell gig, a Pip mewn cwdyn cysgu ar lawr y cyntedd, o fewn poerad – a golwg – i ddrws y ffrynt. Chlywodd neb ohonon ni'r gnoc. A welodd neb ohonon ni Sylvie McEwan, gweithwraig gymdeithasol, yn cerdded i mewn.

Erbyn i fi sylweddoli fod 'na ddieithryn yn sefyll ar ganol llawr y gegin, roedd Sylvie wedi amsugno pob manylyn o'r olygfa a'i hwynebai i'w chof fel clician llun i gamera.

Llwyddes i fynd â hi drwodd i'r lolfa i barcio'i phen-ôl, a bachu'r gyllell gig o law Elliw unwaith y trodd Sylvie ei chefn a'i dal wrth wddw Ben a'i fygwth i fihafio.

'Fel arall, fyddan nhw'n mynd â ti o 'ma,' chwyrnes arno. Edrychodd arna i a'i wyneb yn llawn her, ond roedd digon o amheuaeth ynddo i fy sicrhau na fyddai'n mentro ar ddrygioni mawr tra byddai'r fenyw ddieithr o dan ein to.

---

24 Gweler y llyfr ar y pregethwyr uchod.

Rheges Misus Parry o dan fy ngwynt – pwy arall fyddai wedi hela'r gwasanaethau cymdeithasol i ysbïo arnon ni? Es i ysgwyd Sam o'i thrwmgwsg.

'Yr SS?!' ebychodd.

'Ie. Lawr yn y stafell ffrynt. Dere. Ti ma hi moyn weld.'

Neidiodd Sam o'i gwely'n annodweddiadol o sydyn. Dalies frwsh gwallt iddi a bachodd ef gan lamu i'w dillad. Es lawr stâr i gadw'r gestapo'n hapus – a chau'r drws ar Rhodri a Gwenno yn hanner lladd ei gilydd. Rhythu ar yr annibendod oedd y fenyw a bues i bron â dweud wrthi nad oedd cyfraith yn erbyn cadw tŷ anniben, fod y rhan fwyaf o deuluoedd hapus yn byw mewn tai anniben, pan dorrodd ar draws fy meddyliau.

'P'un ydych chi? Y canol?'

'Rhif tri,' atebes. 'Ond Guto ma pawb o'r teulu'n 'y ngalw i.'

Hen drwynau ydyn nhw. Daeth Sam i mewn a fy hela i mas – ac fe es, braidd yn anfodlon, gan mai fi oedd wedi achub sefyllfa ddrwg rhag bod yn sefyllfa waeth. Fel 'na gwelwch chi: y rhai sy'n gwneud y gwaith ar lawr gwlad yw'r rhai olaf i gael rhan yn y penderfyniadau mawr. Saethes edrychiad at Sam i'w rhybuddio i beidio â chodi gwrychyn hon fel y cododd wrychyn y brifathrawes, ond go brin iddi allu darllen yr edrychiad – weles i erioed mohoni'n darllen llyfr hyd yn oed.

Es mas i'r gegin a bachu'r matsys eilwaith o law Ben gan gyfarth arno i fihafio.

'Pwy wyt ti – Mam?' gwatwarodd yn ôl, a'i synnwyr eironi wedi datblygu'n rhyfeddol ers y noson o'r blaen, beth bynnag am ei synnwyr cyffredin ynghylch pwy i'w gnoi a phwy i beidio â'i gnoi. Fe fydd e'n rial Ian Hislop erbyn iddo fe gyrraedd fy oed i.

'Cer i dy wely,' medde fi 'nôl wrtho fe, yn methu meddwl am ddim byd arall i'w ddweud, ac fe ges i andros o syndod bach tawel wrth ei weld e'n troi ar ei sawdl a mynd 'nôl i'w wely!

Aeth tri chwarter awr heibio cyn i Sam ddod i mewn i'r gegin ar ôl cau'r drws ffrynt ar y Sylvia 'na. Anadlodd ryddhad dwfn. Doeddwn i ddim wedi clywed lleisiau'n dod o'r lolfa, a chododd hynny fy ngobeithion na fyddai'r ymweliad yn ddim ond ffurfioldeb anffodus yn deillio o'r troad roddodd Sam yn nhrwyn Misus Parry.

'Beth?' holes. Roedd Ben yn dal yn ei wely ac Elliw'n gwylio'r teledu, a Rhodri a Gwenno wedi slamio bobi ddrws yn wynebau'i gilydd cyn cilio i'w hystafelloedd. Doedd neb ar ôl i boeni am ddyfodol ein teulu bach ni heblaw fi.

'Nes i ddim gweiddi arni,' medde Sam.

'Ie...?'

'Cadw llygad, 'na'r oll. Achos gynni hi le i boeni yn dilyn cwyn gin y ddynas Parry 'na.'

'Pam na all pobol adel llonydd i ni?' holes heb ddisgwyl ateb.

Disgynnodd Sam i'r gadair freichiau wrth y tân. 'Pam na ddaw dy fam adra?' holodd hithau, heb ddisgwyl ateb chwaith.

6.

'WY'N GWBOD SHWT oedd Nelson yn teimlo pan ddaeth e mas o'r jêl ar ôl deg mlynedd ar hugain i freichiau Winnie a whilo mas bod honno wedi troi'n gythrel o fenyw yn ystod ei absenoldeb. Ond 'wy ddim yn gwbod alla i droi 'nghefen ar fy Winnie i.

Cerdded heibio Bloc Ec o'n i, yn llusgo 'nhraed er mwyn colli dechrau Maths, pan weles i Lisa Snow. Aeth Maths a'r ysgol a gweddill y bydysawd mas o 'meddwl i'n syth wrth gwrs a rhedes i drwy'r sgript sy 'da fi yn 'y mhen ar gyfer bwmpo mewn iddi – y sgript 'fyrfyfyr' a gymrodd fwya o fyfyrio drosti erioed. Dyma hi i chi, er gwybodaeth. (Noder mai dyfalu rhan Lisa Snow o'r sgwrs ydw i, ac felly weithiau ceir mwy nag un amrywiad ar yr hyn allai ei hateb hi fod – ond rydw i wedi ceisio glynu at yr ateb sy'n fwyaf tebygol ganddi).

FI: Haia!

LS: Cer i'r jawl.

FI: Ddoi di mas 'da fi?

LS: Shyt yp, *Git*!

FI: Jyst gweud helô. Dwrnod ffein.

LS: Ti'n cymryd y pis? / Cer i'r jawl.

FI: Ti moyn i fi gario dy fag di?

LS: Ti *yn* yn d'yt ti, ti'n cymryd y pis! / Cer i grafu.

FI: Ti sy'n rhoi achos i'r haul godi yn y bore, ti sy'n gwneud i'r adar byncio,[25] ti sy'n tiwnio tannau 'nghalon

---

25 'Trydar' yn well. 'Wy ffili help dychmygu adar yn gwisgo dillad pync a hedbango wrth sgwennu 'pyncio'.

i a lliwio'r dydd i mi, ti yw'r wawr a thi yw'r bore diderfyn, ti yw'r curiad dan fy mron, ti yw'r gwaed yn fy ngwythiennau…

Erbyn hyn, wrth gwrs, fe fyddai Lisa Snow wedi cyrraedd pen draw'r iard. Ond does dim byd o'i le ar freuddwydio. 'Wy ddim erioed wedi dod yn agos at agor 'y ngheg i yngan gair wrthi mewn gwirionedd. Byd llwm fyddai byd heb ddychymyg.[26]

Ond y tro 'ma, sylweddoles bron yn syth nad oedd Lisa Snow ar ei phen ei hun. Draw yng nghysgod y goeden sy'n tyfu dros y gampfa roedd hi, ac roedd rhywun arall yno hefyd. Mae'n rhaid bod 'da fi dipyn o drwyn, achos roedd cael gwbod pwy oedd gyda hi – yn snogan, gredes i gynta – yn bwysig dros ben. Os oedd e'n rhywun o Flwyddyn Naw (neu iau!), roedd gobaith 'da finne 'fyd; os oedd e'n rhywun o Flwyddyn Naw neu iau a sbots ar ei wyneb e, roedd mwy o obaith byth 'da fi, achos mae 'nghroen i'n eitha llyfn er mai fi sy'n dweud. Ond os oedd e'n hŷn, neu fod ei lais e wedi torri, neu'i fod e'n un o gang Slash, fe fyddai'n edrych yn ddu iawn arna i achos bydde hynny'n dangos nad oes 'da hi ddiddordeb mewn bechgyn iau, bechgyn â'u lleisie nhw heb dorri – na bechgyn da.

Er gwybodaeth, Slash gafodd ei wahardd o'r ysgol llynedd am gario cyllell fara i'r ysgol. Mae ei gang yn dal i ddod i'r ysgol gan na chafodd neb ond Slash ei wahardd, ond 'wy'n lled amau fod ambell gyllell yn cael ei chario i'r ysgol gan rai ohonyn nhw hefyd – os nad cyllell fara, cyllell lysiau neu gyllell gaws, neu ar y gorau,

---

26 Byd heb fodau dynol fyddai byd heb ddychymyg, yn ôl Dai Sect, yr athro Beiól.

gyllell fenyn neu gyllell bysgod.[27]

Lle o'n i?

'Wy ddim yn gwbod pam 'wy'n ramblo fel hyn achos er mai bachgen oedd 'da Lisa Snow, dim snogan oedden nhw. Roedd Lisa Snow wedi pino'r crwt – o Flwyddyn Saith ddwedwn i o ran ei olwg e, rhyw lynghyryn bach dibwynt o beth – lan yn erbyn y wal, ac yn dala'i dwrn reit o flaen ei wyneb e. Roedd golwg eitha gwelw ar y llynghyryn, fel gallech chi ddisgwyl.

Es i rai modfeddi'n agosach ar flaenau 'nhraed rhag i Lisa Snow sylwi arna i ac fe glywes i hi'n bygwth y dwrn i'r llynghyryn os na châi bob ceiniog oedd 'da'r crwt yn ei feddiant. Nawr, mae'n gas 'da fi drais. A sylwch 'mod i wedi rhoi atalnod llawn ar ôl y gosodiad 'na. Dim 'ond': mae'n gas 'da fi drais a dyna fe. Ond 'wy hefyd yn digwydd meddwl mai Lisa Snow yw'r peth gorau ddigwyddodd i 'mywyd i erioed. A dweud y gwir, hi sy'n rhoi ystyr i'r dydd a hi sy'n gyfrifol am fy nghael i godi yn y bore a mynd i'r ysgol, a go brin y gallwn i wneud hynny hebddi. 'Wy'n gwbod nad oes 'da fi unrhyw ran yn ei byd hi o gwbwl – 'wy ddim cweit yn siŵr yw hi'n gwbod beth yw fy enw'n iawn y tu hwnt i '*Git*' – ond dyw hynny ddim yn wirioneddol angenrheidiol. 'Wy'n gwbod shwt beth yw caru rhywun o bell a galla i ddala 'mlaen i wneud hynny os yw'n cadw'r gobaith yn fyw y daw

---

27 Y rhei siâp rhyfedd 'na roedd pobol yn arfer eu defnyddio nhw slawer dydd. 'Wy ddim yn siŵr iawn shwt byddai 'da nhw gyllyll pysgod, ond mae'r gallu gan gang Slash i dorri i mewn i siopau, felly pam ddim siop *antiques*? Gyda llaw, go brin bod rhaid i fi egluro pam mae Slash yn cael ei alw'n Slash – dim ond dweud nad am ei fod e'n bert maen nhw'n galw Andrew Hyll yn Andrew Hyll.

'na rywbeth da mas ohono fe yn y diwedd. Mae hynny'n well na threial a chael 'y ngwrthod am byth bythoedd, amen. Dyna pam 'wy wrth 'y modd pan fydd Lisa Snow yn tynnu 'nghoes i ambitu Mam a Sam. Mae hi'n gwbod cymaint â hynny amdana i, ac mae ei gwawd hi'n golygu bod 'na gyswllt rhyngon ni, neu destun cyfathrebu. Mae'n werth cael dwy fam er mwyn cael sylw Lisa Snow.

Ta beth a tha p'un 'ny. Tynnodd Lisa Snow waled y crwt mas o'i fag 'da'r llaw oedd ddim yn ei ddala fe lan yn erbyn y wal. Pocedodd yr arian i gyd.

Mewn tafellaid o eiliad, roedd yn rhaid i fi wneud penderfyniad a allai newid cwrs 'y mywyd i am byth. Oeddwn i'n mynd i adael i beth oedd yn digwydd ddigwydd ac esgus bach wrtha i fy hunan ei fod e heb ddigwydd, neu o'n i'n mynd i achub y llynghyryn rhag seicopathrwydd amlwg Lisa Snow – testun fy serch a fy nghariad ers dros dair blynedd pan osodes i lygaid arni gyntaf?

Gwnes y penderfyniad anghywir.

Cerddes tuag at y ddau a gofyn oedd Lisa'n iawn…? Tynnodd honno ei dwylo oddi ar ysgwyddau'r llynghyryn ar unwaith a throi i fy wynebu â golwg herfeiddiol ar ei hwyneb bendigedig. Arhosodd y llynghyryn lle'r oedd, yn crynu'n weladwy yn ei sgidiau a bu'n rhaid i fi ddweud 'Cere 'te!' wrtho fe'n reit siarp cyn iddo fe fagu digon o blwc i'w baglu hi oddi yno (heb gynnwys ei waled, ond nefoedd, dim Siwpyrman ydw i!).

'Beth ddiawl ti'n feddwl ti'n neud?' gofynnodd Lisa Snow. Yffach Colin, roedd hi'n bert.

'Stopo ti rhag ti dy hunan,' medde fi, yn teimlo'n dipyn o foi erbyn hyn.

'Bat!' poerodd ata i, gan chwalu unrhyw falchder a

deimlwn gwta nanoeiliad ynghynt.

'Beth o't ti'n neud iddo fe?' holais. Cwestiwn diangen, ond mae gan bob troseddwr hawl i'w amddiffyn ei hun.

'Dwgyd 'i arian e!' medde Lisa Snow fel siot.

'O leia ti'n onest,' medde fi.

'Anghofies i arian cino bore 'ma, so nes i ddwgyd arian hwnna.'

'Pwy o'dd e?' Tybed oedd gan Lisa Snow gefnder neu ffrind iau oedd wedi hen arfer â'i chastiau…?

'Shwt yffach 'wy fod gwbod? 'Wy ddim yn arfer gofyn iddyn nhw beth yw 'u henwe nhw pan 'wy'n dala nhw lan yn erbyn y wal.'

Hmmm. Yn bendant, roedd gwaith yr amddiffyniad yn yr achos hwn yn mynd i fod yn helaeth.

'Idiot,' poerodd Lisa Snow ei llid i fy wyneb wrth fy mhasio oddi yno.

O'n i'n gwbod yn iawn mai'r peth i wneud oedd mynd i ddweud amdani wrth yr athrawes ddosbarth neu rywun, ond roeddwn i'n gwbod ar yr un pryd mai dyna'r peth ola a wnawn i mewn gwirionedd.

Nawr, mae wythnos ers i fi weld Lisa Snow yn dala'r crwt bach o Flwyddyn Saith lan yn erbyn wal y Gampfa, ac 'wy wedi meddwl lot dros beth weles i. Mae 'da pob troseddwr ei resyme dros ei ddrygioni, a mwya 'wy'n meddwl am y peth, roedd sawl rheswm da 'da Lisa dros wneud y peth wnaeth hi. I ddechrau, roedd angen yr arian arni. Fydde'i mam ddim wedi dod rownd i roi brecwast iddi, na'i bwydo hi y noswaith cynt chwaith, achos yr holl ofid sy arni ynglŷn ag affêr ei gŵr 'da'r fenyw o siop y cigydd. Mae'n rhaid bod hynny'n gwasgu ar Lisa Snow ei hunan hefyd, ac yn tynnu'r ochor waetha mas ohoni, a gwneud iddi wrthryfela. Gwrthryfelwyr oedd deallusion a llenorion mwya'r byd, wedyn mae gobaith i Lisa Snow eto, llwyth o obaith. Gweithredu yn ôl ei greddf roedd hi, ac mae 'na lawer i'w ddweud dros hynny. Ac 'wy'n berffaith siŵr yn fy meddwl mai un digwyddiad oedd y bwlio weles i – nid 'bwlio', mae 'cymell' yn well gair – ac na chaiff ei ailadrodd ganddi, digwyddiad anffodus wedi'i achosi gan amgylchiadau anffodus cartref camweithredol.[28] Angen dargyfeirio'r drygioni tuag at weithredoedd da sydd ei angen, a phwy well i wneud hynny na darpar chwyldroadwr cymdeithasol? Ac ar ben popeth, shwt allen i lando'r ferch 'wy'n 'i charu yn y cach drwy ddweud wrth athro amdani?

Heddi, bron wythnos gyfan wedyn, fe stopodd Lisa Snow fi yn y gât wrth 'y mod i'n dod gatre a dala 'mraich rhag i fi ddianc. Fel pe bai 'na rym ar wyneb y ddaear a allai wneud i fi ddianc!

'Ti ddim wedi gweud dim byd 'te,' meddai. Gwenes arni, yn ceisio dod o hyd i 'nhafod, a'r hen sgript sy yn 'y mhen i ar gyfer eiliadau fel hyn yn gwbwl anaddas unwaith bod eiliadau fel hyn yn digwydd mewn gwirionedd.

'Haia, Lisa. Ti'n ocê?' medde fi yn goc i gyd ond yn teimlo tu mewn fel pe na bai gen i un o gwbwl.

'Ateba fi! Ti ddim wedi gweud wrth yr athrawon.' Dweud, dim gofyn.

'Ambitu beth?' gofynnes, yn llawer rhy ddiniwed. Roedd fy llais i wedi codi dwy octif yn fy awydd i swnio'n ddidaro, gan lwyddo yn hytrach i swnio fel llais merch fach yn gwichian.

---

28 Gair y geiriadur-tudalennau-tenau am *dysfunctional*. 'Wy ddim yn gwbod yn iawn beth mae *dysfunctional* na camweithredol yn ei feddwl, ond o leia mae camweithredol yn Gymraeg.

'Ti'n gwbod yn iawn beth!' chwyrnodd. 'Pam ti ddim wedi gweud? O'dd e'n *obvious case of bullying*!'

Merch ei thad! Dyall y gyfraith i'r dim, a'r derminoleg. Merch glyfar yw Lisa fi.

''Wy ddim moyn,' medde fi. Fawr o *wit* yn perthyn i hynna. Penderfynes ychwanegu: 'O'dd 'da ti dy resyme.'

'O?' Roedd gwên fach ar ei gwefus erbyn hyn. 'A beth yw rheini 'te?'

'Bob math o resyme.' Cofies am yr esgusodion a ffurfies yn fy mhen dros yr wythnos a aeth heibio, ond roedd rhai ohonyn nhw'n swnio chydig bach dros y top, hyd yn oed i fi. (Ac allwn i ddim dweud y prif reswm wrthi wrth gwrs, sef 'mod i'n ei charu hi). 'All pethe ddim bod yn hawdd arnot ti.'

Crychodd ei thalcen fymryn. 'All pethe ddim bod yn hawdd... ?'

'Na. Ddim â dy dad...' Wyddwn i ddim sut i'w roi mewn brawddeg.

'Yn farnwr?' gofynnodd Lisa Snow.

'Ie,' cytunes. 'A popeth.'

'Popeth?' Roedd ei pharodrwydd i siarad yn fy annog ymlaen.

'Ie. Cario 'mla'n 'da menwod er'ill fel mae e. Ma hynny bownd o fod yn anodd dygymod ag e. Bownd o dy hala di bach off y rêls. Ond fi 'ma i ti os ti moyn siarad... cadw ti rhag tynnu fe mas ar blant bach Blwyddyn Saith.'

Syllai arna i, a fues i bron â gafael amdani i roi snog y ganrif, a'r gynta erioed i fi, ar ei gwefusau blincin wyndyrffwl. Daliai i syllu heb ddweud dim byd. Dechreues feddwl falle mai dyma'r unig air o gefnogaeth roedd Lisa Snow erioed wedi'i glywed drwy oriau tywyll ei bywyd gatref, a bod y caredigrwydd wedi'i tharo'n fud. Ond wedyn, fe drodd hi rownd a cherdded oddi wrtha i. Jest fel 'na.

Fe gerddes gatre gan feddwl fod yr emosiwn o gael rhywun yn estyn llaw fetafforaidd – a llythrennol – tuag ati wedi mynd yn drech na hi.

Nawr 'wy'n dechrau meddwl rhywbeth arall. Nawr drawodd y syniad fi, nawr a finne yn 'y ngwely'n sgwennu hwn a Ben yn gwichian o'i fegin asthma yn ei gwsg yn y gwely oddi tana i. Nawr, mae ias oer yn mynd lawr fy nghefen wrth i fi ystyried posibilrwydd arall – y posibilrwydd falle 'mod i wedi gwneud camgymeriad, fod Lisa wedi delwi wrth i fi sôn am ei thad... *am nad oedd hi'n gwbod*!

Ond mae pawb yn y byd yn gwbod mai ci yw'r Barnwr William Powell Preece-Snow – pawb!

Pawb *ar wahân i'w ferch*?

Ffowcyn Ellis, beth 'wy wedi *neud*?!

7.

Roedd y penwythnos yn fy rhwystro rhag siarad 'da Lisa Snow. Allwn i byth â mynd i gnoco ar ei drws hi a thrafod y peth, a'i mam a'i thad (falle) yn yr adeilad. A ta beth, fe ddaeth pethau i fwcwl 'da Mam a Sam dros y penwythnos.

Roedd Misus Parry, o fod wedi cael cyn lleied o synnwyr mas o Sam, wedi troi at Mam i ofyn iddi 'shwt oedd pethe gatre' yn y llais nawddoglyd 'na sy ganddi, a hithe'n gwbod yn iawn nad gatre o'dd Mam. Roedd hi wedi dweud wrthi hefyd na fu ganddi ddewis ond galw'r gwasanaethau cymdeithasol i edrych i mewn i'r mater. Er na ddangosodd hi hynny i Misus Parry, roedd hyn yn newyddion i Mam. A'i goleuo hi, wrth gwrs, oedd bwriad Misus Parry – roedd hi wedi amau o'r cychwyn nad oedd Mam yn gwbod dim am drafferthion Ben nac am ymweliad yr awdurdodau.

Beth bynnag, pen draw'r peth fuodd i Mam fartsio i mewn i'r tŷ a hithe wedi bod i'r ysgol, lle roedd Misus Parry wedi adrodd stori'r cnoi wrthi, a chyhuddo Sam o dreial cael gwared arnon ni, o adael i'r SS fynd â ni bant oddi wrthi iddi hi gael hela gweddill ei bywyd yn whare'r *Playstation.*

'Shwt allet ti adel i bethe fynd mor bell?' gwaeddodd ar Sam.

'Ma Sam yn trio'i gore,' medde Elliw. 'Mae hi'n golchi llestri a dillad cyn whare gêm bob tro nawr.'

'Dodd hi ddim yn codi bys bach pan o'n i 'ma,' taranodd Mam heb dynnu ei llygaid oddi ar Sam.

'Di hynna'm yn deg,' medde Sam yn ddistaw.

'Dewisa,' medde Mam wrth Sam, cyn troi at y gweddill ohonon ni. 'Dewiswch. Fi neu'r stwff.'

Stwff? Doedd gen i ddim syniad am beth roedd hi'n sôn, ond aeth rhagddi i egluro:

'Yr holl stwff sy'n y tŷ 'ma, stwff letric. Ar wahân i'r peiriant golchi dillad, 'wy moyn i'r cwbwl lot arall ga'l ei werthu ar *e-bay*. Popeth. 'Wy ddim moyn gweld gêm na chebl na lîd na chyfrifiadur na dim 'ma o hyn ymla'n – *os* chi moyn fi 'nôl.'

Wnaeth Sam ddim baglu drosti ei hunan i ddweud y gwnâi hi unrhyw beth i'w chael hi 'nôl, ond rhaid cyfadde bod y sioc wedi'n llorio ni gyd, nid dim ond Sam.

'Beth am dy waith di?' holodd Elliw, yn gweld yn bellach na'r un ohonon ni. 'Ti angen cyfrifiadur i neud dy waith.'

'Fydd 'da fi, fel yr un sy i bob pwrpas yn cynnal y teulu 'ma, swyddfa yn yr atig. Fe fydd 'y nghyfrifiadur i'n ca'l ei symud lan i fan 'ny, a 'na lle bydda i rhwng naw y bore a phump y nos.'

'A ti'n dishgw'l i ni hongian ambitu lawr fan 'yn heb ddim byd i'w neud drwy'r dydd!' ebychodd Gwenno.

'Nagw,' medde Mam. 'Fydd 'da chi ddigon i'w neud. Fydd 'da chi'r gwaith tŷ i'w neud, fydd 'da chi swper i'w baratoi… O! ac anghofies i sôn! Ni'n mynd i droi'n fwy gwyrdd!'

'Be?' ochneidiodd Sam.

'*Os* chi moyn fi 'nôl,' dechreuodd Mam, 'ni'n mynd i droi'r lawnt yn ardd lysie a chlirio'r ffrwcs yn y cefen i neud lle i sied ieir. Ni ddim yn mynd i fod yn defnyddio cyment â hynny o drydan achos bydd y *stwff* wedi mynd 'nôl i *e-bay*, wedyn gallwn ni arbed bach o arian drwy godi melin wynt fach yn yr ardd a neud 'yn trydan 'yn hunen.'

Syllai chwe wyneb cegrwth crwn arni.

'Wel, beth chi'n weud? Chi moyn fi 'nôl neu beido?'

Rhodri'n unig fuodd yn ddigon o wag i ddweud 'nagw' cyn ymneilltuo i'w stafell wely, a throdd Gwenno ar ei sawdl i fynd i'w un hithe heb ateb.

'Wrth gwrs!' medde Sam, wrth i'r amodau dychwelyd bylu'n ddim yn ei rhyddhad o gael Mam yn ôl. Rhuthrodd y ddwy i freichiau'i gilydd gan adael Elliw, Ben a fi yn ceisio dygymod â'r newid byd roedd Mam newydd ei ddisgrifio.

'Allith hi byth â bod o ddifri,' medde Elliw. 'Fydd hi wedi anghofio erbyn fory, gei di weld.'

8.

Erbyn i'r cebl olaf gael ei bacio i'r seithfed bocs o stwff, roedd Elliw wedi cyfadde iddi wneud camgymeriad. Roedd Mam o ddifri.

'Ma hi off 'i phen!' ebychodd Rhodri wrth ddod i'r lolfa a gweld Mam yn rhowlio *duct tape* am focs oedd bron iawn cymaint â'r soffa. 'Ment llwyr!'

Aeth Mam â'r bocsys diwetha lawr i'r post yn dre i'w hanfon. Roedd hi wedi gadael i'r cyfrifiaduron a'r gêmau fynd am bris lawer is na'u gwerth ond doedd Sam ddim wedi mentro lleisio cwyn. Gwylies hi'n edrych allan ar yr ardd drwy ffenest y gegin a golwg bell arni, fel pe bai hi ddim yn siŵr iawn beth oedd wedi'i tharo. Un dawel yw Sam wedi bod erioed, byth yn dadlau 'nôl os gall hi beidio: Mam sy'n gwneud y sŵn i gyd. A dyw Sam ddim hanner mor bwdwr ag mae Mam yn ei honni drwy'r amser chwaith. Gwneud pethau'n ddi-ffys fydd hi, felly dyw hi ddim yn tynnu sylw at y ffaith ei *bod* hi'n eu gwneud nhw.

Mae 'na rywbeth del iawn am Sam, er ei bod hi'n hen wrth gwrs. Ddylai menywod deugen oed ddim gwisgo'u gwalltiau'n hir. Ac mae hi'n denau fel styllen – yn wahanol i Mam sy'n tueddu'n fwy at siâp casgen.

'Ma hi'n edrych yn itha ocê a styried,' medde Gruff Banana am Sam ryw dro, heb ddweud beth oedd i'w ystyried. Mae rhagfarnau pobol yn dweud mwy amdanyn nhw'u hunain nag am wrthrych 'u rhagfarnau, dyna un o bregethau mawr Mam, a chredai Gruff fod pob lesbian yn hyll fel pechod am ryw reswm. Mae Mam a Sam yn dystiolaeth o ba mor wirion yw credu fel 'na gan fod y ddwy yn bert ofnadw am 'u hoed, er na fydden i byth yn cyfadde hynny wrth neb yn gyhoeddus.[29]

('Wy ar chwâl ym mhobman yn treial dilyn pob ysgyfarnog sy'n dod i mewn i 'mhen i, ond does dim byd yn bod ar hynny – 'llif ymwybod' mae Miss Cymraeg yn ei alw fe. Dyna fel roedd James Joyce yn sgwennu – llwythi o stwff nad oedd neb yn gallu'i ddarllen am bob peth bach bach a ddigwyddai. 'Wy *moyn* i rywun ddarllen hwn, yn wahanol i ddyddiadur y bachan Mole 'na – nid twrch mohono i (ha!). 'Wy'n ei sgwennu gan wybod y bydd yn gweld golau dydd – ond ddim am sbel fach eto. Erbyn hynny, fe fydda i a Lisa Snow yn ŵr a gwraig a phedwar neu bump o blant bach yn whare rownd ein traed ni; finne'n gweithio fel ysbïwr dros y Gymru Rydd (achos bydd y gwaith chwyldroi cymdeithas wedi dod i ben erbyn hynny, a'r byd yn berffaith) a hithe'n fodel, ac yn byw mewn tŷ mwy o faint nag mae hi'n byw ynddo fe nawr (jawch, bydd rhaid i'r gwaith ysbïo fod yn talu'n dda. Falle byddai pennaeth S4C yn talu'n well) ac yn sipian gwin o ffiolau aur. Bydd Mam a Sam yn byw yn yr atig, a'i mam hi wedi ymfudo i Awstralia i arwain côr. A'i thad wedi

---

29 Gwn fod cyhoeddi hunangofiant yn weithred gyhoeddus, ac felly'n croesddweud fy honiad yn hyn o beth. Caniatewch rywfaint o slac i mi felly. Mae'n haws dweud na fyddwn i byth yn cyfaddef rhywbeth yn gyhoeddus na manylu ar union amgylchiadau sefyllfaoedd fyddai'n fy rhyddhau i ddweud rhywbeth yn gyhoeddus. Poetic licence mae'r Saeson yn ei alw. A gaf i ganiatâd i ddefnyddio peth arno yn y fan hon? (Cwestiwn rhethregol: nid oes gofyn i chi ateb). Ai 'trwydded farddol' yw'r cyfieithiad? Swno fel rhywbeth roedd Dafydd ap Gwilym yn gorfod hela bant amdani.

rhedeg bant 'da'r fwtsieres i Ddenmarc.)[30]

Ta beth a tha p'un 'ny. Daeth Mam 'nôl o'r dre wedi cael gwared ar y bocsys, ond â *rotovator* ym mŵt y car. Agorodd y bŵt a gweiddi ar Sam i ddod i'w helpu hi i'w dynnu fe mas.

'Gei di 'i iwso fe,' medde Mam wrthi. 'Ti wedi ca'l digon o bractis yn dreifo tancie a ryw sothach fel 'ny ar y sgrin,' edliwiodd, gan gyfeirio at y gêmau cyfrifiadurol roedd Sam wedi bod mor hoff o'u whare. 'Gewn ni weld pa mor dda wyt ti mewn gardd go iawn.'

A'r peth rhyfedd yw, fe halodd Sam drwy'r dydd ddoe yn troi'r ardd i Mam. 'Nôl a 'mla'n ar hyd y rhychau, plygu wedyn i godi'r cerrig mawr, a 'nôl a 'mla'n wedyn nes bod y pridd yn fanach na'r stwff sy 'da Russell *Byw yn yr Ardd* yn ei ardd e. Ac fe wnaeth hi hynny heb gwyno dim, whysu dros y peiriant, cochi fel bitrwten wrth roi ei phwysau tu ôl iddo fe i fynd drwy'r lympiau mwya o bridd a cherrig. Fuodd hi wrthi am oriau. Ges i bip ar Mam yn sylwi hefyd, yn edrych mas drwy ffenest y gegin am amser hir a golwg eitha trist ar ei hwyneb hi. 'Wy ddim yn gwbod pam roedd hi'n edrych yn drist achos roedd Sam yn gwneud yn union beth ofynnodd Mam iddi ei wneud heb leisio gair o wrthwynebiad. 'Wy'n meddwl weithiau fod Mam yn hapusach pan fydd rhywun *yn* gwrthwynebu, er mwyn iddi gael teimlo'i hunan yn gwylltio. Mae gwylltio yn gadael hormons yn rhydd tu fewn i chi a rhei o'r rheini'n gallu gweitho fel cyffuriau yn y corff. Fe weles i fe ar *Horizon* unwaith. Falle bod Mam angen ei ffics o wylltio, a bod ufuddhau iddi yn golygu bod hi ddim yn ei gael e. Ac er ei bod hi'n casau gêmau cyfrifiadurol,

---

30 Denmarc – y wlad sy'n bwyta'r mwya o gig *per capita* yn y byd (145.9kg y person yn 2002). Yffach Colin, mae hynna'n lot o gig! Da o beth fyddai i Lisa a finne ystyried troi'n llysieuwyr.

mae hi wrth ei bodd yn whare'r merthyr. Eglurodd Gwenno hynny i fi achos doeddwn i ddim cweit yn dyall y gêm. Mae Mam, medde Gwenno, yn dwli ar wneud mas na fyddai'r byd yn symud heblaw am yr holl waith mae hi'n ei wneud yn ein bywydau ni i'w gadw fe i symud. Does neb yn gwneud dim byd heblaw amdani hi. Mae hi'n lladd ei hunan, yn ei meddwl hi, yn gwneud i bethau gadw i fynd, i gyd er ein mwyn ni – a faint o ddiolch mae hi'n ei gael? Dydyn ni ddim yn moyn gwbod, nag 'yn ni? Wedyn, mae hi'n gallu cwyno a gwen'yno achos ei bod hi'n cael yffach o gam. Nawr, dyna'i gêm hi, a dyna'r gêm rydyn ni'n gadael iddi whare achos mae e'n golygu bod dim rhaid i ni godi bys bach i wneud dim byd. Eglurodd Gwenno hyn i gyd i fi, ac 'wy'n credu falle bod gyda hi bwynt.[31]

Ond drwy rotyrfêto'r ardd, doedd Sam ddim yn whare'r gêm, chi'n gweld, a dyna pam roedd golwg drist ar wyneb Mam wrth edrych arni.

Neu falle'i bod hi'n caru Sam yn fwy na feddyliodd neb ohonon ni. Mae pobol sy mewn cariad yn gallu edrych yn drist iawn weithie – fe ddylen i wybod.

Dim Dafydd ap Gwilym ydw i, 'wy'n gwbod hynny, ond 'wy'n dyall yn iawn beth oedd yn mynd drwy'i feddwl e. Roedd e'n fardd claf o serch, chi'n gweld. Fel finne. 'Wy ddim yn fardd 'to – ddim yn un sy'n sgwennu barddonieth 'te – ond mae e tu mewn i fi. Fe fydda i'n fardd ryw ddiwrnod, 'wy'n gallu'i deimlo fe yn fy nŵr. Ond beth bynnag am hynny, 'wy *yn* gwbod beth yw bod mewn cariad. A hwnnw'n gariad un ffordd.

Cariad dwyffordd sy gan Sam a Mam, er bod yr hic-yp yn

---

31 'Wy hefyd yn meddwl bod 'da hi ddyfodol fel seicotherapydd. Neu seicopath.

dilyn ment Mam wedi bwrw pethau'n sgi-wiff braidd. Ond dyw'r cariad sy 'da fi at Lisa Snow ddim yn cael ei ateb. A beth sy'n waeth byth yw 'mod i wedi ysgarthu ar fy sglodion drwy ddweud beth ddwedes i wrthi ddydd Gwener. Drwy'r penwythnos, fe fues i'n whysu y tu fewn (yn fetafforaidd) a'r tu allan (yn llythrennol) wrth feddwl nad oedd hi'n gwbod am ei thad a'r fwtsieres nes i fi roi 'nhroed yn 'y ngheg a dweud wrthi.

Erbyn y bore 'ma, roeddwn i'n argyhoeddedig mai dyna shwt oedd darllen yr edrychiad ges i 'da hi ddydd Gwener yn syth ar ôl dweud beth nes i ambitu ei thad a'r fenyw gig. Es i'r ysgol yn gwbod bod rhaid i fi gael gair 'da hi y cyfle cynta ddôi. Ar yr un pryd, 'na'r peth dwetha ar wyneb y ddaear roeddwn i moyn ei wneud.

Ers dydd Gwener – na, yn bellach 'nôl na 'ny, ers y diwrnod y dalies i hi'n bygwth y llynghyryn o Flwyddyn Saith – roeddwn i'n gwbod fod popeth wedi newid rhwng Lisa Snow a fi. Cyn hynny, fe gefes fisoedd braf – blynyddoedd – o edrych arni o bell a dychmygu rhyfeddodau, a dal i obeithio y dôi 'mreuddwydion i'n wir drwy beidio gwneud dim byd yn eu cylch nhw. Fe fyddai hi'n cael modd i fyw yn tynnu arna i a finne'n cael modd i fyw o'r holl sylw a roddai i mi. Ychydig o esgus bach ar fy rhan fod ei geiriau hi'n brifo drwy wisgo rhyw olwg dwtsh yn ddiflas ar fy wyneb fel ei bod hi'n dal ati i wneud, ac roedd y dyfodol yn edrych yn ddisglair dros ben. Gallwn fod wedi mynd nes y Chweched yn hawdd ar hynny fach a dim mwy.

Ond dyma fi wedi sbwylo popeth drwy ei dal hi'n bwlian. Ac wedyn yn peidio dweud wrth yr athrawon amdani. Ac yn eisin ar y gacen, oedd yn hen ddigon mawr yn barod, fe ddwedes i wrthi fod ei thad yn cael affêr.

Yffach Colin, mae bywyd yn gymhleth.

9.

Fe weles i hi'n dod mas o'r Gampfa yn ystod y wers gym[32] – sgeifo, achos mae'n gas ganddi chwaraeon – a finne ar fy ffordd i'r tŷ bach ar ganol Maths.[33] Rhewi nes i gynta, cyn cofio bod rhaid i fi geisio egluro wrthi.

'Lisa,' galwes i draw arni. Fe drodd hi rownd a golwg ar ei hwyneb hi fel pe bai hi newydd weld baw ci ar ei sgidiau.

'O'n i wedi drysu dydd Gwener. Wedes i rwbeth o'dd ddim yn wir... Clywed am rywun arall nes i.'

''Wy ddim yn gwbod am beth ti'n siarad,' medde hi, gan anelu heibio i fi.

Ond roedd yn rhaid i fi sorto pethau mas.

'Ti'n gwbod, y busnes 'na ambitu dy dad. Meddwl am rywun arall o'n i. Clywed stori a chymryd mai am dy dad o'dd hi, ond dim fe sy.' Tawelwch. 'Yn cario 'mla'n.' Saib hir, a hithe'n rhythu ar y baw ci. ''Da'r fenyw siop gig.' Dim byd. 'Yn dre.'

---

32 Gwersi i'n dysgu ni sut i gnoi gwm cnoi, a sut i'w osod e dan gadeiriau'r ysgol neu ei boeri mas ar y pafin. Gwers jim yw'r llall yn Gymraeg, lle rydych chi'n dysgu shwt i sefyll ar eich pen a dringo rhaffau ac iselhau eich hun drwy chwysu a chlymu eich corff mewn ystumiau a allai beri cywilydd. Gall achosi dryswch os mai Jim yw enw'r athro jim. Mewn sefyllfaoedd o'r fath, gwell yw cyfeirio at y gweithgaredd yn ei gyfanrwydd fel gwers Ymarfer Corff ac anghofio am jim, Jim a gym.

33 Un da yw Moi Maths am gredu ein bod ni wir eisiau mynd – rhaid ei fod o'r farn fod rhyw firws neu'i gilydd yn peri i bledren bechgyn Blwyddyn Naw fod yn anarferol o wan.

Dweud rywbeth, ferch!

'Pwy 'te?' saethodd hithau ata i o'r diwedd, ar ôl i fi fynd i deimlo'n fwy anghyfforddus na'r bachan hwnnw gafodd gorn tarw lan ei bechingalw, ac ynte'n dioddef o *haemorrhoids* (nawrte, 'na beth fi'n galw'n sillafu!).

''Wy ddim yn gwbod,' medde fi.

'Dere 'mla'n, *Git*, os nage Dad sy, pwy sy? Ma raid bo ti'n gwbod neu fyddet ti ddim wedi dod lan ato fi nawr i weud bo ti wedi neud mistêc.'

'Rhywun arall, rhywun ti ddim yn nabod,' medde fi.

'Do's dim rhyfedd,' medde Lisa. 'Ma ca'l dwy fam yn bownd o neud ti bach yn wan yn dy ben.'

'Odi,' medde fi, o hir arfer.

'Dychmygu pethe am bobol er'ill am fod pethe mor wa'l yn dy fywyd dy hunan.'

'Ie, 'na ti,' cytunes â fy nuwies.

'Ishe help sy arnot ti,' medde Lisa, a'i cheg ar dro hyll.

'Ie, 'na fe,' cytunes. A chyn i fi allu stopio'n hunan: 'Helpa *di* fi, Lisa!'

Rhythodd arna i. O leia, gwnaeth hynny i'r cwlwm yn ei gwefusau ddatglymu. Edrychai'n harddach fyth a'i hwyneb heb ei wawd arferol.

'Idiot!' medde hi yn y diwedd, gan ruthro heibio i fi a 'ngadael i'n gwegian fel brigyn unig yng ngwynt y gogledd oer ar ganol gwastadeddau'r *steppes*.

Drwy'r ddau ddiwrnod wedyn, edrychodd hi ddim i 'nghyfeiriad i, heb sôn am daflu gair o wawd ata i. Prin 'mod i wedi'i gweld hi hyd yn oed – dim ond yn y llond llaw o wersi rydyn ni'n eu cael ar y cyd – ac os oedd hi'n 'y ngweld i'n dod ar hyd y coridor, roedd hi'n gwneud pwynt o droi'i chefn a cherdded 'da'i ffrindiau – sy'n dilyn ôl ei throed i bob man[34] – i gyfeiriad arall.

Hon oedd wythnos waethaf fy mywyd hyd yn oed cyn dydd Sadwrn.

Dydd Sadwrn

Yn dre o'n i, yn aros am Gruff Banana a Cai Tshops i fynd i hongian ambitu'r siop jips fel pe bai gennym ni rywbeth i'w wneud, er nad oedd, pan ddaeth hi rownd y cornel – bang! – fel siot i mewn i 'mywyd i eto ar ôl treial fy osgoi i cyhyd. A doedd dim dewis 'da hi ond fy mhasio i'r tro yma, achos ei mam oedd gyda hi, ddim ei ffrindiau, ac yn amlwg, does 'da hi ddim dylanwad dros ei mam fel sy 'da hi dros ei ffrindiau. Fe fuodd yn rhaid iddi ddod wyneb yn wyneb â fi.

Ac mae'n rhaid hefyd bod rhyw ddiawl tu mewn iddi wedi penderfynu godro'r sefyllfa a gwneud i fi deimlo fel jwmpo bant oddi ar do Morrison's, achos fe stopiodd hi a thynnu ar lawes ei mam i wneud i honno stopio hefyd.

'Mam,' medde hi gan rythu arna i. 'Wedodd Guto rwbeth wrtho i y dydd o'r bla'n 'wy'n credu dylech chi glywed.'

Delwes. Rhaid bod y celloedd gwaed yn fy nghorff i i gyd wedi clywed a dweud wrth ei gilydd: 'Stop! Man lle y'ch chi!'

Roedd golwg ddryslyd ar wyneb ei mam – dynes lawer hŷn na Mam a Sam, neu o leia mae golwg fel hynny arni, a'i gwallt yn byrm a chacen o golur ar ei hwyneb grwfi,[35] a phyrls am ei gwddwg hi a rhyw ddillad sy'n mynd swish wrth iddi gerdded. Ches i erioed Sarah-Snob, Cerdd, yn athrawes

---

34 Mae hi'n Olwen i bawb, nid dim ond i fi.

35 Lico hwnna! Addas i athrawes Gerdd gael wyneb 'grwfi', er nad oes rhyw lawer yn grwfi am Mozart a Beethoven a'r Ostrians eraill 'na i gyd.

arna i, diolch byth, neu falle na fyddwn i wedi parhau i fod mewn cariad â'i merch hi am yr holl amser: byddwn erbyn hyn wedi dechrau gweld y fam yn y ferch, a'i chael hi'n fy nysgu yn fy atgoffa'n barhaus o freuder bywyd a'r ffaith fod Lisa Snow yn siŵr o droi'n Sarah-Snob, Cerdd, mewn nanoeiliad ar raddfa amser cosmig.

'Dere 'mla'n, Guto,' medde Lisa a'i cheg bron tu whith mas, cymaint oedd y tro ar ei gwefusau. 'Beth wedest ti ambitu Dadi?'

Gweles wyneb ei mam yn rhewi. Ces ganfed o eiliad i ystyried fod hon yn gwbod y gwir hyd yn oed os nad oedd ei merch.

'Dim byd,' medde fi. 'Fel wedes i, mistêc o'dd e.'

'Ambitu Dad yn cario 'mla'n 'da menyw'r siop bwtsier...?' holodd Lisa.

Ches i ddim cyfle i ateb. Glaniodd llaw fawr dew Mrs Sarah Powell Preece-Snow glatsh ar draws boch chwith fy wyneb.

Codes fy llaw'n reddfol i fwytho'r pigo a deimles yn syth, ac roedd y ddwy wedi mynd yn eu blaenau. Trodd Lisa ei phen i edrych yn ôl arna i.

Roedd y tro yn ei cheg wedi diflannu, a'i llygaid brown melfedaidd yn ddwfn ddwfn fel Llyn Baikal.[36]

---

36 Llyn Baikal: llyn dyfnaf y byd (1700 metr) a hwn hefyd, fel mae'n digwydd, yw'r llyn hynaf yn y byd (25 miliwn o flynyddoedd oed). Hyd y gwn i, nid yw'n frown, er y gallai fod, ond cymharu dyfnder y llygaid yw'r bwriad yma, wrth gwrs, nid eu lliw – er y dylid cofio nad yw llygaid Lisa yn 1700m o ddyfnder nac yn 25 miliwn o flynyddoedd oed. Un o nodweddion cymariaethau effeithiol yw eu bod nhw'n ymestyn cryn dipyn ar y gwir, ond yn llwyddo i gyfleu'r gwirionedd drwy hynny – yn ôl Miss Cymraeg.

10.

ROEDD MAM WEDI gwneud yn siŵr ein bod ni'n cael ein tynnu oddi ar y grid cenedlaethol o ran trydan a nwy, a hynny cyn i fachan y felin wynt fod heibio yn gosod y cyfryw strwythur yng ngwaelod yr ardd. Canol mis Chwefror oedd hi, a'r gwynt yn fain – yn y tŷ heb sôn am tu allan. Roedd ager yn dod o'n cegau wrth i ni ddeffro yn y bore, ac yn dal yno o dan ein trwynau coch wrth i ni orwedd yn ein gwlâu yn rhewi peth diwetha yn y nos. Ni fedrai Rhodri fod yn yr un ystafell â Mam am ei fod yn awyddus iawn i ymatal rhag ei bwrw hi. Dyna'r unig beth oedd yn mynd drwy ei feddwl o'r eiliad y glaniai adre o'r ysgol hyd yr eiliad y llwyddai i drechu'r oerfel yn y diwedd a chysgu yn oriau mân y bore: yr ysfa i fwrw Mam – nid yn galed, eglurodd wrtha i a Gwenno'n ddigon rhesymol, dim ond digon i ddod â synnwyr 'nôl i'w phen hi, achos roedd gwir angen i rywun wneud hynny.

Disgynnodd fy nghalon wrth ei glywed yn siarad fel hyn. Nes hynny, roedden ni'r plant wedi ystyried ment Mam fel rhywbeth ychydig bach yn ddoniol, yn un o'r pethau 'ma sy'n digwydd o bryd i'w gilydd yn y teuluoedd mwyaf normal. Ac i raddau hefyd, roedden ni'n tueddu i feddwl mai rhywbeth rhyngddi hi a Sam oedd y broblem er gwaetha'i haeriadau hi mai'r tŷ, a'r stwff a phopeth oedd y broblem, nid Sam yn benodol. Roedd gwerthu'n stwff ni ar *e-bay* hyd yn oed yn rhywbeth y gellid ei ddadwneud yn weddol, er dwtsh yn fwy costus na'r hyn a fyddai wedi bod yn ddelfrydol, unwaith y dôi Mam at ei choed. Ond daeth oerfel colli'r trydan â realiti gatre'n ddiogel i ni. Roedd Mam am newid ein byd yn sylfaenol, a doedd dim yn mynd i sefyll yn ei ffordd.

'Dewch, neith bach o oerfel ddim drwg i neb! Gwisgwch fwy amdanoch chi!'

Diolches yn fy mhen nad oedd Rhodri yn yr ystafell i'w chlywed. Ond roedd y gwelltyn olaf wedi'i ychwanegu at gefn y camel i Gwenno.[37]

''Na fe. 'Wy'n mynd i whilo am Dad,' medde hi.

'Beth ti'n feddwl?' medde fi.

''Y *nhad* i,' eglurodd. 'A ti. Neu falle nad dy un di. Ond un fi.'

'Ti ddim yn neud sens,' medde fi wrthi. 'Dere i ni ga'l cynn'u tân, i'r gwa'd ga'l rhedeg 'nôl i dy ben di.'

''Wy o ddifri,' medde Gwenno. ''Wy'n mynd i whilo amdano fe. 'Wy ddim yn gallu byw fel hyn.'

'Fyddi di ddim yn goffod yn hir iawn 'to. Gei di fynd i'r coleg flwyddyn nesa.'

''Wy ddim yn gallu aros nes blwyddyn nesa. 'Wy'n mynd i whilo mas pwy yw e. Ma hawl 'da fi wbod. Ma hawl 'da tithe 'fyd os ti moyn.'

'Wy ddim erioed wedi meddwl ambitu'r peth, ddim yn iawn. Sam yw'r hyn fydde pobol er'ill yn ei alw'n dad: dyw'r ffaith mai menyw yw hi ddim yn gwneud gwahaniaeth mewn gwirionedd. Menyw yw 'y nhad i, 'na i gyd. Dyw'r busnes gwaed a bioleg 'ma ddim yn berthnasol, a phan ddechreuodd Gwenno siarad fel hyn, ro'n i'n teimlo'n reit gas tuag ati. I beth oedd ishe sbwylo

---

37 Idiom Saesneg? Does dim camelod yn Lloegr, fwy na sy 'na yng Nghymru. Ond mae sŵau yn Lloegr, a dim yng Nghymru (dim rhai sy'n cadw camelod, hyd y gwn i). Felly efallai fod gan y Saeson fwy o hawl dros yr idiom na ni. *Cofio gofyn i Miss Cymraeg.

pethau drwy'u cymhlethu nhw?

'Ti'n rhy ifanc. Ti fod yn ddeunaw cyn ca'l whilo mas.'

'Do's dim byd yn stopo fi ofyn,' dadleuodd Gwenno. 'Os yw e moyn cwrdd, gallwn ni neud 'ny.'

'Galle fe fod yn *unrhyw* un!' medde fi gan geisio peidio codi fy llais: y peth dwetha o'n i moyn oedd i Mam neu Sam glywed. 'Galle fe fod yn *mass murderer*! Mynd i glinic na'th Mam i ga'l ni. 'Dyn nhw ddim yn rhoi enwe'r *donors* mas!'

'Ni ddim yn gwbod 'ny'n bendant,' medde Gwenno. 'Dyw Mam ddim wedi egluro'r cwbwl i ni, 'wy'n siŵr o 'ny. Ti'n gwbod fel ma hi,' gwawdiodd, 'gweud mai ei chariad hi a Sam greodd ni, pwy ishe mwy na 'ny? Llwyth o storis tylwyth teg.'

Mae hynny'n wir. A hithe'n fenyw sy'n credu mewn pob math o gyfiawnder a rhyddid, mae Mam yn gyndyn iawn o drafod ein tad naturiol 'da ni. Dyw hi erioed wedi ymhelaethu llawer ar ffeithiau ein geni ni ac ryden ni wedi dysgu peidio â holi gormod. Mae hi'n amlwg fod presenoldeb anorfod rhywun arall yn y freuddwyd o deulu bach mae'r ddwy wedi'i greu yn rhywbeth mae'n well ganddyn nhw geisio ei anghofio – yn enwedig presenoldeb gwrywaidd. Falle hefyd fod cariad Mam at Sam, a thipyn bach o gydymdeimlad am nad oes iddi ran yn ein bioleg ni, yn ei gwneud hi'n gyndyn i oedi gormod dros ffeithiau moel ein gwneuthuriad. 'Wy'n tueddu i gytuno â hi.

Ond gallwn gydymdeimlo â Gwenno i raddau hefyd. Doedd 'na ddim du a gwyn – dim ond cynnes ac oer. Ac roedd 'na jans go lew y byddai cartref *mass murderer* yn gynhesach na'n un ni.

Pan ddaeth y generadur a'r felin wynt i gynhyrchu rhyw ychydig o drydan a gwres, credwn fod Gwenno wedi anghofio'i hangen i fynd i chwilio am ei thad gwaed. Ond roeddwn i'n anghywir unwaith eto.

''Wy wedi siarad 'da rhywun o'r gwasanaethe cymdeithasol,' medde hi wrtha i ar y ffordd o'r ysgol un diwrnod wythnos dwetha. 'Ma'n nhw'n edrych mewn i'r mater.'

A ddydd Iau, fe lwyddodd y gwasanaethau cymdeithasol, rywsut, i arllwys eu cwd wrth Mam.

Dechreuodd y gweiddi'n sydyn cyn i ni godi. Canodd y ffôn, a chafodd ei ateb, wedyn roedd Mam yn gweiddi nes bygwth llechi'r to ar i Gwenno godi a dod 'lawr fan 'yn ar *unweth*!'.

'Shwt allet ti?! Heb weud wrth Sam na finne! Shwt allet ti?!'

'Ma hawl 'da fi,' atebodd Gwenno'n swta.

'Sdim syniad 'da ti beth ti'n neud!' gwaeddodd Mam arni.

Rhaid bod Sam wedi cyrraedd achos o fy ngwely lan stâr gallwn glywed sŵn llais isel yn ceisio gostegu'r storom ac iddi'r enw 'Mam' heb gael fawr o lwyddiant.

''Wy ddim yn moyn iddi wbod!'

'Pam? Ti'n gweud dy hunan fod e ddim yn bwysig pwy yw 'nhad i! Os nag yw e'n bwysig, pam na cha i *wbod*?!'

Ro'n i'n dal i geisio dilyn llwybr ei rhesymeg pan daranodd Mam: '*Mae* e'n bwysig! Ti'n whare 'da tân! So ti fod i wbod. Ni'n iawn fel 'yn ni!'

Ac wedyn roedd Mam yn llefen fel pwll y môr a llais Sam yn ei chysuro'n ddistaw.

'Blacmêl yw 'na,' daliai Gwenno ati. 'Dyw dy ddagre di

ddim yn mynd i'n stopo i.'

Aeth hi'n dawel lawr stâr wedyn, felly fe fentres i lawr ymhen hir a hwyr achos bod whant brecwast arna i. Allen i ddim aros yn 'y ngwely am byth er ei bod hi'n gynhesach 'na nag yn unman arall yn y tŷ, hyd yn oed wedi i'r felin wynt ddechrau gwneud dynwarediad o felin wynt yn troi mewn ffilm sydd wedi'i harafu i hanner cyflymder amser.

Roedd Mam yn dal wrth fwrdd y gegin â'i phen yn ei dwylo, a Gwenno yn y lolfa yn edrych ar y sgwâr dychmygol ar y wal lle'r arferai'r teledu fod. Roedd hwyliau diawledig arni, gallwn ddweud, yn ôl y ffordd roedd hi'n anadlu trwy'i thrwyn fel bustach.

Wrth synhwyro 'mhresenoldeb i yn y stafell – heb boeni chwaith mai fi'n benodol ddaeth i mewn – fe dasgodd drwy'i dannedd a'i llais yn dywyll fel Loch Ness.[38]

''Wy'n *mynd* i whilo amdano fe! Os mai 'na'r peth dwetha naf i. 'Wy'n mynd i whilo mas pwy yw 'nhad i!'

---

38 Oeddech chi'n gwybod fod yna fwy o ddŵr yn Loch Ness na sy 'na yn llynnoedd Cymru a Lloegr i gyd 'da'i gilydd? Pwy wnaeth y darganfyddiad yma? Neu'n fwy o syndod byth, pwy feddyliodd am wneud y sym? Mathemateg, 'chwel! Unwaith rydych chi'n gallu cyfri lan i ddeg, rydych chi ar eich ffordd i allu gweithio mas faint o atomau sy 'na yn y bydysawd, ac unwaith y dechreuwch chi feddwl ambitu hynny, mae hi wedi canu arnoch chi.
'Nôl i Loch Ness – oeddech chi'n gwybod hefyd fod 14.5% o ddŵr y llyn yn biso monstyr?

11.

'PWY YW HI 'te?' holodd Mam a gwên fach dwp ar ei gwefusau.

'Beth?' Codes fy mhen o fy llyfr.

Daliodd Mam ddarn o bapur lan o 'mla'n i.

''I ffindo fe wrth glirio dy stafell di.'

''Sdim hawl 'da ti,' medde fi wrthi gan chwipio'r darn papur o'i llaw yn siarp. Lluniau calonnau oedd arno – rhwng y tablau o dimau pêl-droed delfrydol 'wy'n eu llunio weithiau –[39] a saethau, a phethau bach gwirion felly y bydd bardd sy'n glaf o gariad yn eu dwdlan o bryd i'w gilydd er ei ddifyrrwch ei hun a heb fod o ddim busnes i neb arall.

'Dysga di glirio dy stafell dy hunan a fydda i ddim yn *dod* ar draws y pethe 'ma!' ailadroddodd hithe'r un hen bregeth.

Es yn ôl at fy llyfr gan sgrwnsio'r papur yn fach yn fy llaw, a methu â darllen gair oedd o 'mlaen i. Roeddwn i'n ymwybodol fod Mam yn dal i sefyll yno fel Dydd y Farn yn mynnu gwawrio.

'Wel?' medde hi wedyn. 'Pwy yw hi?'

'Neb,' atebes. 'Dwdlo. Dim byd mwy na dwdls.'

---

39 Fel hyn: Tîm Gorau'r Byd: 1) Lerpwl 2) Cymru 3) Lerpwl 4) Barcelona 5) Lerpwl. Neu dro arall: 1) Cymru 2) Lerpwl 3) Lerpwl 4) Lerpwl 5) Barcelona. Neu: Chwaraewyr Pêl-Droed Gorau'r Byd Ar Hyn o Bryd: 1) Fernando Torres 2) Lionel Messi 3) Xavi 4) Fernando Torres 5) Fernando Torres. 'Wy'n sylweddoli mai arfer ychydig yn blentynnaidd yw hyn, ac 'wy yn y broses o dyfu mas o'i wneud e. Gyda llaw, 5 yw fy hoff rif.

'O? 'Wy'n siŵr bo fi wedi gweld y llythyren L. Lona...? Lili...? Lowri...?'

'Pam ddim Lewis?' medde fi'n swta. 'Pam bod rhaid iddi fod yn ferch? *Ti* sy'n pregethu yn erbyn stereoteipo. Paid stereoteipo fi.'

'O, paid â lico bachgen, Gut. 'Wy ddim yn moyn i ti droi mas yn hoyw.'

'Ffowcyn Ellis!' ebyches. Roedd hon yn anghredadwy.

'Paid â cymryd enw yr arglwydd dy dduw yn ofer!'

Aeth ati i restru ei rhagfarnau yn erbyn dynion hoyw: hen bethau camp yw cymaint ohonyn nhw, a does ganddi ddim amynedd 'da champrwydd.[40] Mae bod yn hoyw'n iawn, ond iechyd, mae rhai dynion yn mynnu cyhoeddi eu rhywioldeb i'r byd a'r betws, ei rwbio yn wynebau pawb, pa un a ydyn nhw eisiau gwbod neu beidio. Y broblem 'da rhyw, medde Mam, yw'r ffys sy'n cael ei wneud amdano fe. Roeddwn i'n rhoi fy mysedd yn fy nghlustiau'n fetafforaidd rhag ei chlywed hi wrthi, ond doedd metafforaidd ddim yn ddigon da, a dim digon o gyts 'da fi i'w rhoi nhw yn fy nghlustie'n llythrennol rhag iddi fynd ar gefn ceffyl mwy o faint a chodi'r bregeth notsh neu ddau yn uwch.

Cymerodd eiliad neu ddwy iddi adfer ei gwynt ar ôl siarad cyn iddi ychwanegu:

---

40 Weithiau, mae Mam yn fwy rhagfarnllyd na neb. Gyda llaw, 'wy newydd ddarllen ar y we fod 7 gwlad yn y byd sy'n dal i arfer y gosb eithaf i bobl hoyw: Iran, Sawdi-Arabia, Iemen, yr Emiradau Arabaidd Unedig, Swdan, Nigeria a Mawritania. Does dim statws cyfreithiol gan barau hoyw yn yr Unol Daleithiau chwaith. Blydi crefydd, 'chi'n gweld. 'Wy'n becso am Mam. Mae ei hegwyddorion hi'n dechrau llithro.

'Ta beth. Pwy yw hi?'

'Ti, Mam,' medde fi. 'Dynnes i lun calon achos o'n i'n meddwl amdanot ti.'

Gwenodd Mam – heb gredu gair – ond roedd fy meddwl chwim wedi creu digon o ddargyfeiriad am y tro. Rhoddodd Mam sws ar fy nhalcen: 'Gad dy gelwydd, y jawl bach!'.

Gwenes arni, ac aeth hithe allan i blannu tatws.

Trueni na fyddai mor hawdd i Lisa Snow fy ngharu i ag yw hi i Mam a Sam wneud.

12.

YN Y DECHREUAD roedd y gair a'r gair oedd gyda Ffowc, a Ffowc oedd y gair.

Sleisen seimllyd o fachan yw Ffowc, yn tynnu mor agos at oedran ymddeol fel bod yr ysgol gyfan bron â rhedeg mas o anadl wrth ei dal hi mor hir yn aros iddo fynd. Fydd e byth yn gwenu heblaw mewn modd sarcastig, pan fydd ei groen tenau'n tynnu'n dynn dros ei ddannedd gan wneud i'w ben edrych fel penglog dafad. Mae'n cribo'i dipyn gwallt yn stribedau du dros ei gorun i dwyllo'i hun a neb arall fod ganddo lond pen ohono ar ôl. Saif yn blygeiniol foreol ar ben y grisiau yn gwylio'r brif fynedfa am bob drygioni, a'i figyrnau ar ei ystlys, a'i ddwylo'n wynebu allan fel hwyaden; plyga'i asgwrn cefn ar ffurf cansen gan mor denau yw e nes ei fod e bron ar siâp Ec. Ec am…

'Mark Williams! Dydi'r glustdlws 'na ddim yn weddus! Tynnwch hi ar unwaith!'

Gog yw Ffowc.[41] Gog a God. Rydyn ni'n gorfod gwneud yn union beth mae e moyn i ni wneud a does dim ffordd

41 Drwy dynnu sylw at y ffaith, nid gwawdio yw fy mwriad. 'Wy'n digwydd bod yn dod o deulu cymysg felly 'wy'n oleuedig yn y mater yma. Mae mwy o ragfarn gan hwntws at gogs a gogs at hwntws yng Nghymru na sy 'na at unrhyw ddosbarthiad arall o bobl drwy'r wlad. Pan fydda i'n chwyldroadwr cymdeithasol, ar frig fy agenda bydd: dileu rhagfarn, a dwyn cymod rhwng hwntws a gogs. Pe bai hyn wedi digwydd drwy drwch y boblogaeth ganrif yn ôl, byddai Cymru'n annibynnol bellach. Dyw hyn ddim yn newid y ffaith mai ffŵl yw Ffowc.

osgoi na dargyfeiriad i ddod allan ohoni. Yr unig le mae e'n ffaelu yw gyda'i 'fe' a'i 'hi'. Fe fydden i bob amser yn ystyried mai 'fe' yw 'clustdlws', er enghraifft, ond y tu hwnt i Fachynlleth, mae'n edrych yn debyg mai pethau benywaidd ydyn nhw. 'Na chi 'munud' wedyn: 'Dwi isio'ch gweld chi'n fy stafall o fewn dau funud!' fydd Ffowc yn ddweud, a finne moyn ei gywiro fe'n fwy na dim byd ond yn gwbod na allen i byth fyth â mentro gwneud y fath beth.

Gweddustra wedyn: gweddustra yw hyd a lled a chyfaint ei holl fyd e.

Ei broblem fwya yw ei grefydd e. Mae e'n un o'r to 'na sy'n credu bod Cristnogaeth yn Rhif Un yn Siart y Crefyddau a bod rhaid i ni gyd gael peth ohoni i allu wynebu'r byd mawr mas 'na. Nawr, mae Mam a fe wedi croesi cleddyfau ynglŷn â hyn o'r blaen yng nghyd-destun Rhodri a Gwenno, ac fe dreiodd hi'n galed gyda fi ond does dim digon o oriau yn y dydd iddi ymladd pob un o'i brwydrau felly 'wy'n tueddu i fynd i'r gwasanaeth am ei bod hi'n haws mynd na pheidio. Gas 'da fi glywed pregethau Ffowc bob bore, ond 'wy wedi dysgu cau 'nghlustiau iddyn nhw, ac mae eistedd drwy wasanaeth yn hel meddyliau yn well nag eistedd mewn stafell 'da Cris Mwslim a Sammy Sikh yn dala lan 'da gwaith cartre dan oruchwyliaeth athro.[42] 'Chi'n cael eich brando'n '*Terrorist*' yn yr ysgol os y'ch chi'n dod mas o'r gwasanaeth, sy'n dweud mwy am weddill yr ysgol nag am y llond llaw o blant sy'n colli'r gwasanaeth. A dyw Ffowc ddim yn gwneud dim byd i helpu i chwalu'r rhagfarn.

'Iesu Grist sy'n dangos y ffordd i freichia Duw,' medde fe bore 'ma, y twpsyn dwl ag e. 'Wy'n edrych 'mlaen at pan fydd 'da fi ddigon o gyts i godi lan a cherdded mas o'r

---

42 Mae Cris a Sammy'n iawn: y 'goruchwyliaeth athro' sy ddim. (Rhieni *confused* sy gan Cris: ei enw llawn yw Cristian.)

gwasanaeth achos rhywbeth fydd e wedi'i ddweud. 'Wy'n hel meddyliau'n amal ynghylch beth yn union allai e ddweud fyddai'n ddigon pwysig i fi godi a cherddded mas. Gallen i gerddded mas am *ryw* reswm neu'i gilydd unrhyw fore, ond y peth 'da gweithred o egwyddor yw bod rhaid cranco'r stêcs lan sawl notsh (gwd Inglish ies no?), a dewis yn ddoeth yr hyn rydych chi'n gwneud safiad yn ei gylch. Fyddai 'na fawr o bwynt i fi gerddded mas a fynte ond yn dweud 'gweddïwn' neu 'Gras ein Harglwydd', na fyddai? Rhaid iddo fe ddweud rhywbeth fel 'dim ond Cristnogion sy'n cael mynd i'r nefoedd' a ddwedith e ddim o hynna achos mae e'n glyfar, ac yn gwbod sut i guddio'i safbwyntiau eithafol dan orchudd parchusrwydd a chymedroldeb.

Ond falle daw 'nghyfle i'n gynt na'r disgwyl wedi'r cyfan, achos mae Ffowc wedi rhoi'i droed ynddi go iawn tro 'ma. Ac nid safiad dros anffyddiaeth fydd e wedi'r cwbwl, ond safiad dros yr iaith! Miss Hanes ddwedodd wrthon ni bod y Ffowc wedi gorchymyn i bawb ym Mlwyddyn Naw wneud Hanes drwy Susneg am weddill y flwyddyn.

'Ffowcyn Ellis!' ebychodd Cai Tshops oedd yn eistedd drws nesa i fi. Mae Cai'n aelod o Gymdeithas yr Iaith ers pan o'dd e'n ddim o beth, fel mae e'n hoff o fragian. 'Ma'n rhaid i ni neud rhwbeth ambitu hyn, bois! 'Sdim synnwyr yn y peth! Allan nhw ddim mo'n gorfodi ni i ddysgu'n hanes 'yn hunen yn iaith gwlad arall! Ma ishe ymladd!'

Nawr, fydden i wedi bod yn fwy na pharod i fynd gatre i hôl llond llaw o gyllyll o ddrôr y gegin i wneud y job yn iawn, ond 'wy'n credu mai'n fetafforaidd roedd Cai'n siarad. Hyd a lled ei 'ymladd' e, droiodd hi mas, oedd llunio deiseb y gallai pawb yn yr ysgol ei harwyddo er mwyn dangos i Ffowc cyn gryfed oedd y gwrthwynebiad i'w benderfyniad sydyn i wella'n Susneg ni. Doedd hi ddim yn cymryd Einstein i sylweddoli mai ar gwpwl o athrawon Susneg doji y dyle fe edrych gynta os *oedd* gwendid yn ein gallu ni yn yr iaith fain, a bod dim tystiolaeth i awgrymu y byddai defnyddio Susneg yn gyfrwng dysgu Hanes yn gwneud unrhyw les o gwbwl i'n Susneg ni, nag i'n Hanes ni. Ond Ffowc oedd e – bach ar ei hôl hi ym meddwl pawb ond fe'i hunan.

Ar ben y cyfan, dechreuodd rhai o blant Blwyddyn Saith gwyno am eu bod yn cael eu gorfodi i wneud Astudiaethau Crefyddol drwy Saesneg, a phlant Blwyddyn Deg ac Unarddeg yn gorfod gwneud eu Gwyddoniaeth drwy Saesneg. Ac roedd yr Efengyl yn ôl Ffowc yn dweud mai fel hyn roedd hi'n mynd i fod o hyn ymlaen. Roedd ei fryd ar droi ein hysgol cyfrwng Cymraeg ni yn ysgol Susneg dros nos, damo fe.[43]

Ta beth a tha p'un 'ny, roedd Cai wedi llunio'i ddeiseb a'i llungopïo ar y slei ar lungopïwr yr ysgol erbyn amser mynd adre. Ces ddeg tudalen ganddo, a dechreuodd pawb arwyddo'u henwau – nid fod pawb yn cytuno â'n gwrthwynebiad ar sail egwyddor i'r hyn roedd Ffowc yn ei

---

43 Wedodd Mam achau'n ôl fod Ffowc ddim yn dryst, fod 'na sgriw fach ar goll yn ei Gymreictod e achos ei fod e'n darllen y *Daily Mail* ac yn aelod o'r Churchill Society. Dyn bach yw Ffowc, chi'n gweld – bach yn ei ben. Mae'n syndod faint o ddynion bach twp fel fe sy'n dal swyddi cyhoeddus. Mae gwleidyddion drwy'u trwch yn ddynion bach o feddwl, fel fe. Sut arall mae egluro'r ffaith fod yn rhaid i bawb sy'n ceisio mudo i Brydain o unrhyw le arall yn y byd allu siarad Saesneg hyd at safon TGAU? A sut mae cysoni hyn â'r ffaith fod Saeson yn gormesu Cymru 'da'u presenoldeb heb allu dweud cymaint â 'Bore Da' yn Gymraeg? Dyma'r gwleidyddion mae pawb dros ddeunaw oed wedi'u hethol i'n cynrychioli ni. Mae democratiaeth mewn perygl o ladd yr iaith Gymraeg, chi'n gweld. A dyna pam mai chwyldroadwr cymdeithasol ydw i moyn bod pan dyfa i lan.

wneud: ond roedd unrhyw gyfle i wrthwynebu'r prifathro heb fygwth cael eu cadw ar ôl ysgol yn ormod o demtasiwn i'r rhan fwya.

Fe lwyddon ni i gael cant a hanner o lofnodion cyn amser whare, ac ar y rât honno, fe fydden ni wedi cael enw pawb yn yr ysgol (ar wahân i ambell hen idiot o Dori a fyddai'n gwrthod ei harwyddo) cyn hanner awr wedi tri. Roedd dau neu dri o athrawon wedi ychwanegu eu henwau hefyd – gan ein llongyfarch am feddwl am ddeiseb. 'Ffordd dda iawn o gymell eich synnwyr o ddinasyddiaeth a breintiau cymdeithas wâr,' medde Bôldi sy'n dysgu Daearyddiaeth, ac fe gytunodd Cai a fi 'da fe er nad oedd gan yr un ohonon ni'n dau syniad am beth roedd e'n brygowthan.

Ac fe fydde'r ddeiseb wedi bod yn llwyddiant mawr ac yn enghraifft o chwyldro cymdeithasol iach ar waith, pe na bai Ffowcyn wedi carlamu lan aton ni rhwng y ddwy wers ola, bachu'r holl dudalennau o lofnodion o'n dwylo ni, eu rhwygo'n eu hanner, yna'n eu chwarter, mor hawdd â rhwygo tafell o fara, a'u gadael i anharddu'r coridor, cyn gafael yng ngholer Cai Tshops a 'ngholer inne, a martsio'r ddau ohonon ni draw i'w stafell e.

Doeddwn i erioed wedi gweld y tu mewn i'w stafell e o'r blaen, mae'n dda 'da fi ddweud, a doedd dim byd 'na a wnâi'r dyn yn fwy dynol nac yn llai bwystfilaidd.

'Beth yw ystyr peth fel hyn?' gwaeddodd i'n hwynebau a'i lygaid e'n fawr fawr a'i drwyn e'n goch fel trwyn alci.

Agores fy ngheg i'w ateb, ond mae'n rhaid mai cwestiwn rhethregol oedd e ar ei ran achos ches i ddim cyfle i ateb cyn iddo daranu yn ei flaen eto:

'Pa fath o anweddustra ydach chi'n galw'r fath… y fath… weithred ysgeler?!'

Penderfynes gadw fy ngheg ar gau. Yn un peth, swniai hwn eto fel cwestiwn rhethregol. Yn ail, doedd gen i ddim iot o syniad beth oedd ystyr rhai o'r geiriau oedd yn dod mas ohono fe. 'Wy wedi'i glywed e'n sôn am 'weddustra' ac 'anweddustra' sawl tro yn ystod gwasanaeth – 'na beth yw ei eiriau mawr e. Gweddustra yw unrhyw beth ma fe'n cytuno ag e – crefydd, gwisg ysgol, peidio ateb 'nôl – ac anweddustra yw popeth arall. Mae sgidiau du yn weddus a sgidiau brown yn anweddus, a chanu opera yn weddus a chanu pop yn anweddus – ac felly hefyd siarad yn rhy uchel neu symud yn rhy gyflym yn y coridorau.

Daliodd fy llygaid ei gwpan goffi ac am ryw reswm, fedrwn i ddim o'u tynnu oddi arno. Roedd staen brown golau ych-a-fi ar ei ymyl uchaf, ac ôl gwefusau Ffowc i'w gweld yn glir. Roedd e mor ffiaidd fel 'mod i'n *gorfod* edrych arno – chi'n gwbod beth 'wy'n feddwl, fel gwylio ffilm erchyll a *gorfod* gweld y fwyell yn hollti drwy'r gwddwg – a fedrwn i ddim tynnu fy llygaid oddi ar y staen. Arweiniodd hynny at bethau eraill, a dechreues ddychmygu Ffowc yn mynd i'r tŷ bach. Er mai fe oedd y goruchaf, rhaid ei fod e'n gorfod mynd fel pawb arall ohonon ni, ac er ei fod e mor denau fel 'mod i'n amau weithiau a oedd yna unrhyw beth y tu mewn iddo o gwbwl byth *i'w* garthu allan. Y peth diwetha o'n i moyn ei wneud oedd ei ddychmygu'n sychu ei ben-ôl, ond am ryw reswm, am mai dyna'r peth diwetha o'n i moyn ei wneud, dyna'r unig beth oedd yn 'y mhen i – allen i ddim cael gwared ar y llun, ddim dros 'y nghrogi! Od, yndefe?

'O'dd cant a hanner o enwe ar y ddeiseb 'na,' medde Cai Tshops.

'Pa ddeiseb?' Gwenodd Ffowc y wên fwya maleisus a weles erioed ar wyneb neb mewn swydd gyhoeddus. 'A ta beth,' ychwanegodd, 'dydi cant a hanner ddim yn hanner yr ysgol. Pa fath o ddemocratieth ydi hynna?' Daliai i grechwenu.

'O'dd dim hawl 'da chi i'w rhacso hi,' medde Cai – yn dipyn dewrach crwt na fi.

'Mae gen i hawl i neud unrhyw beth dwi isio, hogyn,' medde Ffowc. Roeddwn i wastad wedi amau fod pŵer wedi mynd i'w ben e. Nesaodd at wyneb Cai. 'Fi 'di'r bos yn y lle 'ma, weli di. Be *dwi'n* ddeud sy'n cyfri.'

Tynnodd yn ôl heb adael i'r wên lithro. Sythodd nes ei fod yn edrych i lawr ei drwyn ar y ddau 'no ni.

'Mi fydda i'n cadw llygad barcud arnoch chi o rŵan ymlaen. Os bydd 'na ragor o'r ymddygiad anweddus 'ma, mi fydda i'n defnyddio'ch crwyn chi fel cloria llwch, 'dach chi'n dallt be dwi'n ddeud?'

Chafodd e ddim ateb y tro cynta. Rhaid nad cwestiwn rhethregol oedd hwn wedi'r cyfan, achos ar ôl saib byr, fe floeddiodd e:

'*Ydach chi'n dallt*?!'

'Odyn,' medde finne mewn llais bach gwichlyd er mwyn cau ei ben a mynd o 'na.

Ddwedodd Cai ddim gair. Aeth e mas heb edrych ar Ffowc a'i ddirmyg yn glir yn ei ystum. Caeodd Ffowc y drws yn swnllyd arnom a chododd Cai ddau fys arno (y drws).

Ces haint wrth sylweddoli fod Miss Cymraeg yr union eiliad honno wrthi'n troi'r gornel ac wedi gweld yn glir ddau fys Cai Tshops wedi'u codi at ddrws Ffowc. Ond yr eiliad nesa, roedd hi wedi gostwng ei golwg er mwyn osgoi gweld bysedd Cai – ac osgoi ei geryddu.

Un dda yw Miss Cymraeg – fe fydde hi wedi arwyddo'r ddeiseb, 'wy'n reit siŵr o hynny.

'Beth nawr 'te?' holes i Cai.

'Nawr ma'r rhyfel yn dachre,' medde Cai, â thân yn ei lygaid.

'Bydd rhaid i ni feddwl am rwbeth arall,' medde fi wrtho. 'Mae deiseb yn iawn, yn swyddogol ac yn ddemocrataidd – ond dyw e ddim cweit yn yr un gynghrair â Gandhi, odi fe? Ma ishe protest.'

'Cytuno,' medde Cai. 'Ond shwt fath o brotest?'

'Protest…' medde fi. 'Protest yw protest, nage ddim?'

Piffiodd Cai'n ddiamynedd gan ei gwneud hi'n amlwg i mi mor ddibrofiad oeddwn i yn y pethau hyn.

'Protest ddi-drais,' medde fi wedyn. 'Placardie, gweiddi, iste lawr, gwrthod mynd i wersi, ympryd. Falle gallen ni berswadio un neu ddau o'r athrawon i brotestio gyda ni.' Gallai Moi Maths wneud 'da ympryd.

'Iawn,' cytunodd Cai. 'Ond bydd rhaid i ni daro tra bod yr haearn yn dwym.' (Mae Cai'n anelu am A* yn Cymraeg).

'Dwrnod ar ôl fory,' medde fi. ''Na pryd ma'r wers Hanes nesa. Ben bore dydd Iau.'

'Un snag,' medde Cai. 'Shwt ni'n gweud wrth bawb?'

Penderfynwyd bod Cai'n defnyddio'i gyfrwystra i sleifio taflen A5 dan gaead y llungopiwr ar ei ffordd i'r tŷ bach yn ystod y wers olaf (Maths). Mewn chwinciad, roedd y peiriant wedi chwydu dau gant o daflenni yn rhoi gwbod am y brotest. Dylai hynny fod yn ddigon. Edmyges Cai – dwy stafell i lawr o stafell Ffowc mae'r stafell lungopïo. Ac fe edmyges y daflen roedd y ddau ohonon ni wedi'i llunio yn y rhes ôl yn ystod y wers: 'PROTEST! 9.15 DYDD IAU – CORNEL BLOC EC – DIM HANES DRWY SAESNEG!'

Doedd e ddim yn fachog, ond beth arall allen ni ei roi? Roedd pawb yn mynd i ddeall beth oedden ni'n ei feddwl ta beth.

Aethom ati i'w dosbarthu cyn mynd gatre gan sefyll un bob ochr i brif fynedfa'r ysgol. Dyrnodd Michael Harding yr awyr wrth ddarllen am y brotest. Nid am ei fod e'n arbennig o gefnogol i iaith ei famau, ddwedwn i – mae'n bosib y byddai'r gair 'protest' ar daflen yn galw am *fwy* o ddefnydd o'r Susneg fel cyfrwng dysgu wedi cymell yr un ymateb yn union yn y ffŵl dwl.

Daeth Lisa Snow i'r golwg rownd cornel yr adeilad a cheisies beidio ag edrych i'w chyfeiriad. Roeddwn i hanner eisiau iddi 'ngweld i fel arwr am wrthwynebu Ffowc a'r hanner arall ohona i eisiau i'r llawr fy llyncu. Gobeithiwn mai heibio i Cai yr âi hi – ac eto, roeddwn i ar yr un pryd yn gobeithio mai gen i y câi'r daflen oedd yn cael ei chynnig i bawb a basiai.

Dod yn syth ata i wnaeth hi, a bachu'r daflen heb wastraffu anadl yn gofyn beth oedd hi. Darllenodd hi mewn amrantiad, cyn ei sgrwnsio'n belen fach a'i fflicio i fy wyneb – heb dorri gair.

Beth oeddwn i'n ei ddisgwyl? Fe fyddai'n well gan Lisa Snow arddel Ffowc yn dad iddi nag ochri gyda fi, a oedd wedi creu'r fath annibendod iddi hi a'i theulu drwy lapan yn gegfawr am faterion preifat ei thad a menyw'r siop fwtsier.

Martsiodd oddi wrtha i a'i thin yn wiglan.

13.

DOEDD Y FFAITH fod Lisa Snow yn gwrthod ymuno â’n protest ddim yn annisgwyl er hynny: yr hyn nad oeddwn i wedi’i ddisgwyl oedd y byddai Mam yn penderfynu dod i’r brotest.

Arna i roedd y bai – nid ar Rhodri na Gwenno. Roedd Rhodri wedi llwyddo i beidio â chlywed gair am y brotest ac er bod Gwenno’n gwbod, nid ei thaflen hi fu’n gyfrifol am gyfleu’r wybodaeth i Mam. Roedd gen i ddeg ohonyn nhw ym mhoced fy nhrywsus yn barod i’w rhoi i bwy bynnag fyddwn i’n eu gweld rhwng hynny a dydd Iau, felly fy mai i oedd fod Mam wedi whilo mas am y brotest. Gwagu pocedi’r trywsus i’w olchi oedd hi pan ddatganodd ei bwriad.

‘’Wy’n dod!’ cyhoeddodd, gan roi clo ar y mater, a finne wedi rhedeg mas o anadl yn ceisio’i pherswadio i adael i ni ymladd ein brwydrau ein hunain – tan ar ôl dydd Iau o leia.

‘Dyw’r diawl ’na ddim yn mynd i newid iaith yr ysgol o dan ’yn trwyne ni! Ac os wyt ti ishe cadw pethe fel hyn rhag i fi wbod amdanyn nhw,’ ychwanegodd yn llai uchel ei chloch, ‘dysga olchi dy drywsuse dy hunan.’

Ces wared ar beth rhwystredigaeth yn y wers ddrymiau – [44] Mam oedd y *snare drum* a Lisa Snow oedd y simbalau.

Roedd yn rhaid i fi wènu wrth weld Mam a Sam fraich ym mraich yn disgwyl amdana i y tu allan. Roeddwn i’n tueddu i weld popeth mewn golau gwell pan oedd fy rhieni ar delerau da ’da’i gilydd.

Addawodd Mam gadw’n ddigon pell oddi wrtha i yn ystod y brotest ddydd Iau – a ddim hi fyddai’r unig fam yno: roedd hi eisoes wedi bod ar y ffôn ’da rhieni rhai o fy ffrindiau.

Ceisies deimlo'n falch o'i chefnogaeth. Cynigiodd Sam ein bod ni'n mynd adre heibio *McD*'s, ac roedd bol Mam – fel bydd e weithiau – yn drech na'i hegwyddorion hi.

Cerdded i mewn drwy gatiau'r ysgol y bore 'ma oeddwn i, a fy mhen yn llawn o beth fyddai'n digwydd yn y brotest fory. Dychmygwn fflyd o bobol y teledu yn gwthio meicroffonau o dan ein trwynau a finnau'n traethu am yr anghyfiawnder sy'n ein hwynebu ni'n ddyddiol yn y lle ofnadwy 'ma. A bosys Cymdeithas yr Iaith yn gweld ac yn dweud wrth ei gilydd: 'Mm, mae siâp protestiwr bach da ar hwnna. Chwyldroadwr tan gamp. Fe neith arwr go lew i'r genedl.' Lisa Snow yn gweld hefyd ac yn cwympo mewn cariad 'da fi unwaith ac am byth. Barack Obama yn gweld yr eitem ac yn bygwth

---

44 Y wers ddrymiau. I fynd yn ôl i'r dechrau, dros flwyddyn yn ôl, ces ysfa, nid ansydyn, i fod yn aelod o grŵp. Band, fel mae Sam yn ei alw fe. Roedd 'da fi'r syniad mai cerddor oeddwn i am fod ar ôl tyfu. Crwydro'r byd fel y Super Furries. Un broblem oedd: doeddwn i ddim yn gallu whare unrhyw offeryn, nac yn fawr o gop am ddarllen cerddoriaeth. Na chanu. Nawr 'te, yn ddigon dealladwy, fe ddechreues i feddwl mai'r ffordd hawsaf o wireddu'r freuddwyd oedd drwy whare drymiau. Beth oedd mor anodd ynglŷn â bwrw peth mawr swnllyd rhwng eich coesau 'da ffon ym mhob llaw? Fe blediais i am fisoedd ar Mam a Sam i adael i fi gael gwersi nes iddyn nhw ildio yn y diwedd a thalu drwy eu trwynau i fi gael dechrau yn y ganolfan ar ôl yr haf.
Fisoedd yn ddiweddarach, mae'n gas 'da fi weld drwm heb sôn am glywed ei sŵn; mae'n gas 'da fi'r athro, y stafell, y diwrnod (ar ddydd Mawrth mae'r wers), ac mae gwrando ar gân bop o unrhyw fath ar y radio wedi mynd yn artaith os oes 'na ddrymiau'n agos ati. Aeth y freuddwyd yn yfflon.
(Ond 'wy eto i fagu digon o blwc i ddweud wrth Mam a Sam mai mistêc oedd yr holl erfyn wnes i am wersi, a'r holl arian maen nhw wedi'i fuddsoddi yn eu Ringo Starr bach.)

rhyfel yn erbyn Lloegr os na chaiff Cymru ei hannibyniaeth o fewn pythefnos.

Â 'mhen, fel y Bardd Cwsg, yn llawn o feddyliau fel hyn, fe glywes i lais cyfarwydd yn galw o'r tu ôl i fi:

'Oi! *Git*! Aros amdana i!'

O beraidd lais! Ac roedd hi eisiau cerdded gyda fi!

Trois ati â fy mhen yn dal i gario ambell ronyn o'r freuddwyd oedd yn ei gweld hi'n disgyn mewn cariad â fi wrth weld fy nghyfweliad teledu o'r brotest. Arhoses iddi fy nghyrraedd.

'Weles i dy fame di neithwr. Yn y ganolfan.'

'O'dd gwers ddrymie 'da fi.'

'Ti ddim yn embarasd? Fydden *i*'n embarasd. 'Sdim ryfedd bod ti'n od.'

Saethu picellau gwawd oedd ei bwriad unwaith eto wrth gwrs – dim mwy, dim llai. Cerddes yn fy mlaen. Ond doedd hi ddim am adael i mi ddianc. Gyda'r rhan fwya o blant yr ysgol o fewn clyw, fe gododd ei llais i bawb gael clywed:

'Weles i nhw'n snogan!' Trois yn ôl ati yn y gobaith y byddai rhoi fy sylw iddi yn ddigon iddi ostwng ei llais. 'Dy ddwy fam di, yn snogan ganol gole dydd! Disgysting, 'na beth 'yn nhw – a 'na beth wyt tithe 'fyd!'

Roedd rhai o'r plant eraill wedi dechrau oedi i wrando arni, a gwên fawr sbeitlyd ar wyneb sawl un. Naw deg naw gwaith allan o gant, cerdded i ffwrdd a wnawn i pan fydde Lisa, neu unrhyw un arall, yn tynnu arna i. Roeddwn i wedi hen arfer â geiriau hyll rhai o'r penbyliaid oedd yn rhannu ysgol 'da fi.

Ond allwn i ddim cerdded yn 'y mlaen y tro hwn. Roedd rhywbeth ynghylch y gair 'disgysting', rhywbeth ynghylch y ffordd roedd hi wedi dal Mam a Sam yn rhannu eiliad

– brin y dyddiau hyn – o agosrwydd a'i droi'n beth hyll, hyll, roedd rhywbeth yn hyn oll yn cynnau matsien y tu mewn i mi.

Fe lames tuag ati a gafael yn ei breichiau'n dynn a'i hysgwyd hi fel pe bai hi'n ddoli glwt. Ni lithrodd y wên sbeitlyd oddi ar ei gwefusau o gwbl, a dalies i afael ynddi, yn y gobaith o allu ysgwyd y wên oddi ar ei hwyneb. Roedd un neu ddau o'i ffrindiau hi bellach yn gweiddi arna i i adael llonydd iddi, a chylch bach wedi ffurfio o'n cwmpas ni. Roeddwn i'n tasgu cynddaredd ati rhwng dannedd caeedig, yn ei galw'n 'bitsh' a phethau gwaeth. Daliai hithe i geisio tynnu ei hun yn rhydd, ond wnes i ddim ei gollwng. A finne wedi'i cholli hi'n llwyr erbyn hyn, fe'i dalies yn erbyn y wal, gan boeri rhegfeydd tuag ati, yn gwbod ar yr un pryd 'mod i'n dadwneud yr holl flynyddoedd o roi'r argraff nad o'n i'n poeni pa wawd fyddai hi'n ei daflu i 'nghyfeiriad i.

Dyw hi ddim yn deg – mae'r cyfan mor gymhleth. 'Wy'n gwbod beth sy'n iawn, mae 'mhen i'n gwbod hynny erioed. Ond am un diwrnod yn unig, dim ond un diwrnod, licen i fyw mewn teulu lle dyw popeth ddim yn fater o egwyddor.

Pe bawn *i* wedi gweld Mam yn snogan Sam tu allan i'r lle drymiau neithiwr, fe fyddai 'na deimlad bach cynnes wedi codi tu mewn i fi. Mae adegau pan 'wy'n embarasd wrth eu gweld nhw'n gwneud pethau fel 'na 'da'i gilydd, ond achos bod Mam a Sam wedi bod trwy gyfnod damaid bach yn anodd yn ddiweddar, wel, 'wy'n lico'u gweld nhw'n gariadus. Ond ddim *fi* welodd nhw – *hi* welodd nhw. Ac mae hynny'n newid popeth. *Ddylai* e ddim, wrth gwrs… ond *mae* e!

'Wy ddim yn gwbod pam yr ymosodes i arni, os mai ymosod yw'r gair. O'n i ddim hyd yn oed yn gwbod bod 'da'i geiriau hi'r gallu i wneud i fi ffrwydro. 'Wy ddim yn gwbod am faint o amser y bues i'n ei dal hi'n erbyn y wal, ond yn sydyn, fe deimles i'n hunan yn cael fy hyrddio 'nôl gerfydd 'y ngwar, nes 'mod i'n gwegian. Ffowc.

'Fy stafell i!'

A jest rhag ofan i mi gael yr ysfa i redeg mas drwy gatiau'r ysgol er mwyn osgoi fy nhynged, gafaelodd yn fy mraich dde a hanner fy llusgo i y tu ôl iddo fe. Gwasgai mor dynn nes i'r gwaed stopio pwmpio drwyddi. Roedd ei wyneb e'n goch fel tomato a phefriai dau neu dri deigryn bach o chwys ar ochr ei dalcen. Roeddwn i'n ymwybodol o bresenoldeb rhywun arall y tu cefn i mi, yn dilyn. Oedd rhywun wedi gafael yn Lisa hefyd? Oedd hi'n mynd i gael rhoi tystiolaeth gerbron Ffowc i wneud yn berffaith siŵr 'mod i'n cael y gosb a haeddwn?

'Aros yn fanna!' gorchmynnodd Ffowc unwaith y cyrhaeddes ei stafell am yr eilwaith o fewn deuddydd. Wrth iddo ryddhau fy mraich, ces ysfa i'w rhwbio, ond feiddiwn i ddim ac yntau'n fy wynebu. Dylwn fod wedi amau pwy oedd y person arall oedd wedi ein dilyn yr holl ffordd i stafell Ffowc – Misus Sarah-Snob, Cerdd, a elwir fel arall yn Mrs Snow, mam Lisa. Ac i goroni'r cyfan, yr ochr arall iddi, safai Lisa ei hun, a'r olwg fwya briw a dioddefus a weles arni erioed. Mwythai ei gwar fel pe bawn i wedi hanner ei thagu.

'Does 'na ddim lle yn yr ysgol hon i anifeiliaid!' Cyfeiriai Sarah-Snob ei geiriau at Ffowc. Disgwyliwn iddo droi arni a dweud mai *fe* a fe'n unig oedd i benderfynu pwy oedd yn cael troedio coridorau ei sefydliad dysg, ond wnaeth e ddim. Daliai i rythu arna i fel pe bawn i wedi dwyn ei ddannedd gosod.

'Ddylwn i alw'r heddlu,' daliodd Sarah-Snob ati. 'Mae e

’di gadel cleisie ar freichie a sgwydde Lisa! ‘Drychwch!’

Anwybyddodd Ffowc hi. Roedd e’n anadlu’n drwm drwy’i ffroenau. Yn y bôn, fedrwn i ddim gweld pam roedd e mor ofnadwy o grac – ddim ei ddala *fe* lan yn erbyn y wal nes i.

‘Be ’di achos ymddygiad fel yma?’ taranodd o’r diwedd.

‘Dim byd,’ atebes yn reddfol. Roedd y tymer wedi dechrau gostegu tu mewn i fi bellach a’r gwirionedd am ddyfnder y trwbwl ro’n i ynddo yn dechrau gwawrio yn ei le.

Daeth Ffowc i sefyll reit o ’mlaen i a gostwng ei ben nes ei fod bron yn cyffwrdd â fy wyneb. Gallwn glywed gwynt past dannedd ar ei anadl, ac roedd cudyn bach o flew yn tyfu o sbotyn mawr ar ei ên. Os dôi filimedr yn agosach, roedd peryg gwirioneddol y byddai’r blew yn cosi fy moch.

‘Dim byd…?’ chwyrnodd.

Nawr, gadwch i fi egluro. Ar y pwynt yma, fe allech chi ddweud bod arswyd wedi fy meddiannu i, achos fe ges i ysfa anferthol i wagu ’mhledren a phiso yn fy nhrywsus fel petai. Diolch i’r duw nad yw’n bod, fe lwyddes i’w ddala fe mewn. Ond mae’n rhaid i chi dreial dychmygu shwt artaith oedd hyn i gyd i fi, a diwedd pethau fuodd i fi ddweud wrth Ffowc beth oedd achos y ffrwydrad ar fy rhan.

‘Gweud pethe cas o’dd hi… am… am ’yn rhieni i.’

Tynnodd Ffowc yn ôl yn syth gan ymestyn i’w lawn hyd unwaith eto fel pe bawn i’n golsyn o dân oedd yn bygwth ei losgi. A dyna o’n i, mewn ffordd, ynde? Problem o’n i i Ffowc – a Gwenno a Rhodri o ’mlaen i. ‘Yr hogyn bach rhyfedd ym Mlwyddyn Naw sy’n dod o deulu – be ddudwn ni? – gwahanol. Mab y [*sotto voce*] *lesbians*, wyddoch chi!’ Ac fe wyddai’n iawn na allai dynnu’i gasineb at y fath anghonfensiynoldeb, y fath sefyllfa annuwiol, allan ohono fe'i hunan a'u hanelu nhw ata i. Roedd 'na drefn i'w dilyn, ac er mor rhwystredig oedd hi iddo fe, roedd yn rhaid iddo gau ei geg.

'Dydi hynny ddim yn esgus…' dechreuodd Ffowc.

'Ma'r pethe ddwedodd Lisa yn berffeth *wir*!' taranodd Sarah-Snob, a'i thymer yn gwneud iddi anghofio am brotocolau a pholisïau cydraddoldeb yr ysgol. 'Ma'r peth yn…' ceisiodd feddwl am ansoddair cymwys, '… annaturiol!'[45]

'Mrs Snow…' dechreuodd Ffowc, ond roedd Sarah-Snob ar gefn ei cheffyl, yn amlwg wedi cael yr holl fanylion ar y ffordd yno gan y Lisa fawr ei loes a safai yn ei chysgod.

'Dweud wrtho fe nath hi iddi weld ei rieni fe'n cusanu! Beth sy mor anfaddeuol am hynny? Dyw hynna ddim yn rheswm iddo fe hanner ei lladd hi! Pe bai hi wedi gweld tad a mam…' oedodd i ddethol ei hansoddair yn ofalus, '*heterorywiol* i un o'i ffrindie hi'n cusanu, fyddai dweud hynny ddim yn rheswm dros i'r ffrind ymosod arni, na fyddai?'

Whare teg, gallech chi ddadlau fod Sarah-Snob yn dweud calon y gwir. Arna i *roedd* y bai yn bendifaddau am adael i Lisa Snow gloddio o dan 'y nghroen i. Drwy ymateb fel gwnes i, roeddwn i wedi profi fy hun yn fwy rhagfarnllyd na neb, wedi dweud *fod* 'na wahaniaeth rhwng tadau a mamau cyffredin a fy rhieni i. (Cymaint yw fy nghariad tuag at Lisa Snow fel fy mod yn gallu dadlau ei hochr hi yn erbyn fy ochr fy hun.)

---

45 Ar y pwynt yma, ces awydd i ofyn i Snob beth oedd hi'n feddwl o bengwiniaid. Mae ymchwil diweddar, welwch chi, wedi dangos fod un o bob pump pengwin yn hoyw. A oedd hynny'n golygu, yn ei barn hi, fod pumed ran o boblogaeth bengwiniaid y byd yn annaturiol? Andros o lot o bengwiniaid i'w seicoanaleiddio 'nôl i normalrwydd...

Ond mae'n rhaid fod Ffowc yn dal i feddwl am y niwed y gallai Mam ar gefn ei cheffyl ei wneud i'w ysgol a'i enw da ac yntau o fewn poerad i ymddeol.

'Rŵan 'ta,' meddai ar ôl saib. 'Os clywa i dy fod di wedi bod yn lluchio dy ddyrna o gwmpas y lle 'ma eto, yn enwedig at *ferch*...' oedodd, a chrychu'i dalcen wrth geisio penderfynu a oedd ei eiriau'n rhywiaethol ai peidio, cyn cywiro'i hun, 'at *rywun*, does dim ots pwy... wel, mi fydda i lawr arna chdi fatha tunnall o frics, wyt ti'n dallt?'

''Dych chi ddim am 'i gosbi fe?' Dringodd llais Sarah-Snob i fyny octif a hanner wrth ofyn y cwestiwn.

Trodd Ffowc at Lisa. 'Ac fe wnâi les i ti ddysgu peidio â bod mor rhagfarnllyd.'

Ffowc! Yn achub 'y ngham i, ac yn ceryddu Lisa! *O flaen Sarah-Snob*! Dyma beth *oedd* digwyddiad!

Ond roedd Sarah-Snob bellach yn fy wyneb.

'Does 'na ddim synnwyr yn y peth! Thyg, 'na beth wyt ti!' Edrychodd yn ôl dros ei hysgwydd ar Ffowc: 'Ma plant i anwaried anweddus yn ca'l neud fel fyd fynnan nhw, a phobol foesol fel Lisa a fi yn ca'l 'yn neud i deimlo fel 'sen *ni* yn neud rhywbeth o'i le!'[46]

Martsiodd Sarah-Snob allan, a'i thin hithau'n wiglo yn union fel y gwnaeth un Lisa y prynhawn cynt, gan ddangos fod tueddiad genetig cryf wedi'i basio o fam i ferch. Nid

---

46 I fi, does dim yn fwy diflas na rhyw. Mae oedolion bob amser yn gwneud môr a mynydd ohono fe, a dim ond hynna yw e yn y diwedd, ynde? 'Wy wastad wedi meddwl mai pyrfyrts yw'r rhai sy'n rhy gul i allu derbyn pobol fel Mam a Sam. Os ydyn nhw'n gallu dweud 'ych-a-fi' am y peth, rhaid eu bod nhw'n treulio'u hamser yn dychmygu pethe fel 'na – sy 'run peth â'i wylio fe'n digwydd, does bosib? Pyrfs!

’mod i’n addoli tin Sarah-Snob fel yr addolaf din ei merch chwaith… ei *ffordd* o wiglo sy’n debyg, yn fwy na’i siâp.

‘Diolch,’ medde fi’n ddiffuant wrth Ffowc.

‘Traethawd erbyn dydd Gwener,’ cyfarthodd wrth fy ngwthio mas o’i stafell. ‘Mil o eiria ar Troi’r Foch Arall.’

Llwyddais i gadw’r rheg yn fy mhen.

14.

ROEDD HI WEDI bwrw haen fechan o eira dros nos, a thrôi aer rhewllyd ein hanadl yn stêm. Byddai hynny'n rhoi awch ar ein protest – awgrym bach y byddem yn fodlon rhewi i farwolaeth dros ein hachos. A pho fwya roedden ni'n fodlon aberthu drosto, mwya i gyd o gyfiawnder oedd ynddo, siŵr 'da fi.

Roedd y frwydr foreol am y stafell molchi wedi bod ar waith ers hanner awr, a Rhodri'n bygwth torri'r drws i lawr os na ddôi Gwenno mas ar unwaith. Dyna, o leia, oedd yn ddealledig i ni gyd – ac i Gwenno am wn i – o'i ddyrnu diflino ar bren y drws. Fel hyn mae hi yn 'yn tŷ ni yn y boreau.

'Stopa blastro'r gync 'na dros dy wep!' gwaeddodd, yn hynod o ddealladwy ac ystyried mai fe oedd e.

Daeth llond pen o regfeydd o'r stafell molchi a gweddïwn fod y ffenest yn sownd ar gau rhag i'n holl gymdogion glywed drostyn nhw eu hunain unwaith eto un mor ffiaidd ei thafod yw Gwenno ni.

Daliai Rhodri i ddyrnu'r drws ac Elliw yn gwichian ar Mam i 'weud wrtho fe'. Mae Mam wedi hen roi'r ffidil yn y to ar ddweud dim byd wrth Rhodri na Gwenno, a gobeithio mai fel hynny fydd hi pan fydda inne'n tyfu'n fwy a mwy arddegol hefyd. Mae hi fel pe bai hi'n troi clust fyddar i regi Gwenno a thymer Rhodri fel rhan naturiol o'r broses o dyfu lan.

Mae mwy o fin ar y gwen'yno y dyddiau hyn beth bynnag. Cyn ment Mam, arferai Ben ac Elliw dreulio oriau o flaen y teledu neu'n whare gêm ar y sgrin tra byddai Gwenno'n ymolchi a choluro a Rhodri'n rhwym wrth y cyfrifiadur, a rhyw syncroni naturiol i fywyd ein cartre ni drwy fod amrywiaeth o bethau i'w gwneud. Ond nawr, does dim byd arall i'w wneud heblaw cnoi pennau ein gilydd bant.

Achos dyrnu Rhodri ar ddrws y stafell molchi, fe fuon ni am achau cyn sylweddoli fod 'na sŵn cnoco arall ar ddrws y ffrynt. Mam glywodd yn y diwedd. Roedd hi'n dal yn ei phyjamas 'Moo-dy Cow' a chwilt am ei hysgwyddau i'w chadw'n gynnes tra bod y stôf bren yn dechrau dod i ddyall mai creu gwres oedd ei diben. Roeddwn inne wrthi'n chwilio drwy'r pentwr dillad am siwmper oedd ddim dri maint yn rhy fach i fi.

Y peth nesa 'wy'n gofio yw bod Lisa Snow yn sefyll o 'mlaen i yn y gegin fach a finne'n dala Efyrestiad o bentwr dillad 'nôl rhag cwymp. Lisa Snow! Yn y gegin. Y peth cynta aeth drwy fy meddwl oedd fy mod i wedi dechrau halwsineiddio.

'Ti ddim yn mynd i weud dim byd wrth Lisa?' gofynnodd Mam, a oedd, erbyn meddwl, yn sefyll ar bwys y cyfryw Lisa o 'mlaen i yn y gegin fach. 'Ma hi moyn gair 'da ti.'

Doedd wyneb Lisa ddim yn bradychu dim – dim gwên, dim gwg. Oedd hi yma i ddweud fod ei mam wedi penderfynu mynd at yr heddlu wedi'r cyfan? Sylwes ei bod hi'n edrych ar y llawr… a dilynes ei hedrychiad lawr at 'y nhraed i lle roedd dwy hosan o wahanol liw yn ddiesgid. Symudodd ei hedrychiad y twtsh lleia at draed Mam, lle roedd dwy hosan arall o wahanol liw. Ac fe sylwodd Mam. Yn lle cau ei cheg, rhaid oedd egluro:

'Ni'n credu mai gwastraff amser yw whilo am sane yr un fath. Ni'n arbed amser ac arian yn y tŷ 'ma drwy wisgo sane gwahanol.'

'O,' medde Lisa. A gallwn weld y gair 'nytyrs' yn fflasio'n fflwresent ar flaen ei hymennydd hi.

'Dere,' gorchmynes, a gafael yn ei braich i'w harwain i fy stafell. Dilynodd Lisa fi lan stâr yn ufudd.

Roedd brwydr y bathrwm ar ei hanterth a Gwenno'n sgrechian am fod Rhodri wedi llwyddo i dorri ffrâm y drws 'da'i ddyrnau. Mae e'n dod i ben â gwneud hynny tua un bore o bob pump, a Mam wedyn yn ailosod y ffrâm heb ddweud gair wrth Rhodri, dim ond mwmian yn hirddioddefus y bydd yr 'hormons yn siŵr o baso'.

Drewai fy stafell o ddillad isa a swper neithwr a phop mwyar duon, a'r peth rhyfedd yw na sylwes i erioed ar y drewdod cyn yr eiliad y cerddodd Lisa i mewn wrth fy sodlau. Haws fyddai bod wedi mynd â hi i feudy – o leia fel hynny gallen i fod wedi beio'r gwartheg am y gwynt ffiaidd. Ces fy nhemtio i adael y drws ar agor, ond gweles Mam yn sleifio lan stâr i fisibodîa, felly fe gaees i'r drws 'da hefer o glep.

'Beth ti moyn?' medde fi wrth Lisa, ychydig bach yn swta. Daliwn i gredu mai yno ar berwyl rhyfel oedd hi. Roedd hi newydd lanio o ganol unman a finne ond newydd wisgo 'nhrywsus a 'na'i gyd 'wy erioed wedi'i gael ganddi yw sarhad a chael fy ngwneud i deimlo'n embarasd, felly roeddwn i'n teimlo bod hawl 'da fi i fod yn eitha swta. Pe bawn i'n bod yn onest, byddai'n rhaid i fi ddweud bod ei gweld hi'n sefyll 'na o 'mlaen i ynghanol annibendod a *chaos* tŷ ni wedi 'nhowlu i oddi ar fy echel a dweud y lleia.

'Seino'r ddeiseb,' medde hithe, yr un mor swta.

'Hec, gest ti ddigon o gyfle!' medde finne gan ei chofio hi'n sgrwnsio taflen y brotest yn bêl fach yn fy wyneb i. 'Do't ti ddim yn moyn gwbod echdoe.'

''Wy wedi newid 'y meddwl,' medde Lisa yn ddidaro.

'Wel, do's dim deiseb i ga'l,' eglures. 'Ro'th Ffowc stop arni echdoe.'

'O,' medde hithe, a'i thrwyn dwtsh bach mas o joint. Roeddwn i'n torri 'mol yn moyn gwbod beth oedd ei gêm hi a hithau'n berffaith amlwg mai esgus gwael oedd y ddeiseb. 'Wel, fydden i *wedi'i* seino fe 'se fe ar ga'l,' ychwanegodd heb oedi mwy na hanner eiliad.

'Diolch,' medde fi, gan deimlo fel ffŵl. Disgwylies iddi ddweud rhywbeth am fy ffrwydrad y diwrnod cynt. Cicies gwpwl o dronsys budur o dan y gwely gwaelod gan obeithio nad oedd hi wedi sylwi arnyn nhw. Tynnes y dwfe dros y pyjamas Batman oedd yn pipo dros ochr y bync top gan wneud nodyn yn fy meddwl i'w taflu i'r bin yr eiliad y diflannai Lisa Snow dros riniog y drws. Roedd dyddiau fy mhyjamas Batman ar ben ac wedi troi, dros nos, ar amrantiad fel petai, yn ddyddiau mynd i'r gwely mewn bocsyrs yn unig.

'Ben sy yn y bync gwaelod,' medde fi wrthi er mwyn iddi ddeall nad o'n i'n dal i fynd â thedi i'r gwely 'da fi – nac yn gwrando ar Rhydian. 'Fi sy ar y top. Fi sy bia'r posteri o Gwynfor a Martin Luther King a Torres,'[47] ychwanegais wedyn i wneud yn siŵr ei bod hi'n deall. Roeddwn i ar fin ychwanegu mai Che fyddai'n mynd i'r bwlch rhwng Torres a Gwynfor, ond sylwais yn ddigon buan nad oedd arlliw o

---

47 Mae'r poster o Fernando Torres ar fy wal ers pan oeddwn i'n blentyn. 'Wy yn y broses o geisio diddyfnu (!) fy hun oddi ar bêl-droed. Mae brwydrau pwysicach i'w hymladd na'r un am le ar frig yr uwchgynghrair. Ac 'wy'n credu fod arwyr pêl-droed yn ormod o selebs braidd y dyddiau hyn. Fydd dim lle i ddiwylliant selebs a'u hunanobsesiynau wedi'r chwyldro.
Gyda llaw, pos i chi: pa wyth peth sydd gan reffarî ar ddechrau gêm bêl-droed nad oes gan yr un o'r chwaraewyr eraill sydd ar y cae? (Ateb yn nes ymlaen – os cofia i).

ddiddordeb i'w weld ar wyneb Lisa.

Roeddwn i'n benderfynol 'mod i ddim yn mynd i ymddiheuro iddi am y diwrnod cynt. Doedd dim lle 'da fi i wneud hynny – ei bai hi oedd y cyfan, a wnes i ddim byd heblaw cyrraedd y pen ar ôl lot fawr fawr o wthio dros y blynyddoedd. Wnes i ddim ei bwrw hi, wnes i ddim hyd yn oed ei hysgwyd hi'n galed iawn, dim ond ei dal, a'i galw hi'r pethau roedd hi'n llawn haeddu cael ei galw. Doedd 'na ddim gobaith yn y byd 'mod *i*'n mynd i ddweud sori wrthi *hi*.

'Sori,' medde fi.

''Sdim ots,' medde hi. Yr ast fach. Dim gair o ymddiheuriad er 'mod i wedi ymddiheuro iddi hi a dim rheswm 'da fi wneud hynny. Ac wedi cael traethawd i'w greu erbyn fory. Ooo, mae hi'n anodd! 'Wy'n glaf glaf o gariad ati, ac mae hi'n fy weindio i rownd ei bys bach. Shwt aeth popeth mor gymhleth?

''Wy ddim yn sori, wir,' medde fi wedyn i geisio dadwneud y drwg o fod wedi ymddiheuro a llwyddo i greu dim byd ond mwy o annibendod.

'Pam gweud e 'te?' gofynnodd hithau'n swta.

'Ti moyn iste?' medde fi i newid y pwnc gan geisio meddwl ar yr un pryd sut oedd hi'n mynd i allu gwneud hynny'n daclus ar y bync gwaelod heb fwrw'i phen yn y bync top. Dalies fy llaw ar draws y polyn traws yn barod iddi eistedd... ond roedd hi eisoes wedi rhoi cam tuag at y drws.

'Well i fi fynd,' medde hi.

Ac fe holes fy hunan pam ddiawl oedd hi wedi galw heibio i wneud beth allai hi fod wedi ei wneud yn yr ysgol yn rhwydd reit (sef arwyddo'r ddeiseb pe bai deiseb yn bod). Ond fe drodd hi rownd, a daeth y cyfan yn glir.

'O, a gyda llaw,' dechreuodd, a finne'n deall ar unwaith

mai'r 'gyda llaw' yma oedd ei gwir reswm dros alw, 'i ti ga'l gwbod, ma Dadi wedi gadel Mami. A'th e o 'co ddachre'r wthnos.'

Fel yna. Didaro reit. Fel pe bai'n dweud beth ddigwyddodd yn *Eastenders* neithiwr. Rhythes arni a cheisio meddwl beth i'w ddweud a finne ond yn gallu meddwl am un gair. Ac *roeddwn* i'n ei feddwl e'r tro yma.

'Sori.'

'Ddim rili.'

'Odw! Rili rili sori!' medde fi wedyn, gan feddwl am y ffordd roeddwn i wedi bradychu'r gyfrinach am fenyw'r siop fwtsier, nid am y ffrae ddoe.

'Do's dim ishe,' eglurodd Lisa Snow. Doedd cyfadde hyn ddim yn hawdd. 'Ma pethe bach yn haws, ti'n gweld. O'dd Mami'n gwbod am Dadi a'r fenyw 'na... y fenyw...'

'Y fwtsieres,' ceisies ei helpu.

'Honno,' cadarnhaodd Lisa Snow. 'O'dd Mami'n gwbod ers blynydde. Mae e'n beth da bod rhwbeth wedi digwydd o'r diwedd.'

Gwenes wên fach fflat, gan drio meddwl beth i'w ddweud nesa er mwyn ei chadw hi yma.

'Pwy sy'n rhoid oil yn eich car chi?' gofynnodd Lisa Snow wedyn a finne'n ca'l gwaith dilyn llwybrau dirgel ei meddyliau.

'Mam... neu Sam,' medde fi, heb allu dwyn unrhyw achlysur i gof lle gweles i'r un o'r ddwy yn gwneud hynny. 'Pam?'

'Dim rheswm,' cododd Lisa ei hysgwyddau. 'Dadi oedd yn neud yn tŷ ni.'

'Falle daw e 'nôl,' medde fi i geisio'i chysuro. Ystyries ddweud wrthi fod Mam wedi'n gadael ni i fynd at Mam-gu lawr rhewl am gwpwl o wythnosau hefyd, ond penderfynes i'n ddigon buan i beidio dweud – mae môr o wahanieth rhwng y ddwy sefyllfa.

'Gobeitho ddim,' medde Lisa. 'Ma Mami fel se hi wedi bennu dala'i hana'l ers iddo fe fynd at Sandra Bwtsher. O'dd hi bitu mygu.'

Cames tuag ati gan fwriadu ei dal yn fy mreichiau... ei dal hi'n ddiogel rhag byd creulon, rhag rhieni, rhag holl anghyfiawnder y byd sydd ohoni.

'Ti'n mynd i stopo bwlian plant bach Blwyddyn Saith 'te?' mentrais, gan feddwl fod Lisa Snow newydd yn esblygu o flaen fy llygaid.

Fe wylltiodd hi. 'O'dd e'n mynd ar 'y nyrfs i, 'na pam biges i ar yr idiot bach 'na! O'dd e'n weindo fi lan, wedyn graces i. Dyw e'n ddim byd i neud 'da Dadi a Mami. Pwy yffarn ti'n feddwl 'yt ti – Ffriwd?!'

'Wy'n credu mai Freud oedd hi'n treial ei ddweud, ond mae'n amlwg mai dim ond darllen yr enw roedd hi wedi'i wneud, ddim ei glywed e.[48] Ddechreues i wherthin.

'Stopa 'na!'

Ond o'n i ffili. Mae'n siŵr mai chwerthin achos nerfau oeddwn i, a'r holl beth wedi mynd yn drech na fi.

'Stopa!' gorchmynnodd Lisa Snow eto, gan ddangos ei dannedd y tro yma. Fe geisies stopio, ond roedd abswrdiaeth ei hymgnawdoliad hi yn fy stafell wely wedi dechrau 'nhiclo

---

48 Digon hawdd gwneud: sylwer, er enghraifft, ar sillafiad Wednesday, Leicester a Featherstonehaugh sy'n hollol wahanol eu hynganiad (sef: Wensde, Lestyr a Ffansho). Od, ynde? Beth wnewch chi 'da Saeson? (Cwestiwn rhethregol – dim gohebiaeth os gwelwch chi'n dda).

i fwyfwy nes bod rhoi stop ar y chwerthin yn mynd yn fwy amhosib wrth yr eiliad.

Camodd tuag ata i a gwasgu 'mraich i nes y gallwn dyngu bod y gwaed wedi stopio rhedeg drwyddi. (Eto. Yr un fraich a wasgodd Ffowc ddoe).

'Aaa. Aaaa. Aaaaaa,' ceisies gadw fy llais i lawr rhag ofan bod Mam yn dal i glustfeinio y tu allan i'r drws ar fy synau amheus.

''Wy ddim yn ferch dda,' ysgyrnygodd Lisa Snow gan wasgu'n galetach. 'Byw 'dag e.'

Yna, trodd ar ei sawdl gan hyrddio fy mraich o'i ffordd. Mwythes hi – fy mraich, nid Lisa, ysywaeth – a thyfodd gwên anferthol ar draws fy wyneb. Aneles at y drws i'w gyrraedd cyn iddi fynd drwyddo rhag iddi faglu dros Mam ar ei ffordd allan. Ond roedd sŵn honno eisoes ar y stâr erbyn i ni ddod mas o fy stafell wely.

'Ddoi di i'r brotest?' gofynnes i Lisa ar stepen y drws ffrynt. Cododd ei hysgwyddau.

'Ga i weld,' medde hi'n ddidaro.

Daeth pen Mam i'r drws gan fy ngwthio i yn erbyn y ffrâm:

'Dere draw unrhyw bryd ti moyn. Ma lle bach neis 'da ni 'ma, fel gweli di. Cofia fod croeso i ti pryd bynnag ti ishe!'

Yffach Colin, roedd Mam yn swnio fel pe bai hi moyn *mabwysiadu* Lisa. Gwenodd honno'n wan arni a dechrau cerdded y ffordd hir rhwng 7 Hewl Pentre a'r ysgol (1.2 filltir). Trois yn ôl i mewn i'r tŷ a chael cryn drafferth i basio aeliau dyrchafedig a gwên hollwybodus Mam yn y cyntedd.

Heles i ddeg munud cyfan yn swmpo'r carped lle buodd hi'n sefyll, a chau fy llygaid i'w dychmygu hi 'nôl 'na, yn fy stafell wely.

15.

DAETH DWSINAU O blant i'r brotest, a chymerodd y rhai hyna drosodd oddi wrth Cai a fi, diolch byth. Roedd un o fechgyn y Chweched wedi dechrau areithio yn erbyn Ffowc a'r drefn a'n gorfodai i ddysgu Hanes drwy Saesneg. Ces haint wrth weld fod Gwenno – *Gwenno* o bawb! – yn bresennol. Safai yng nghysgod bechgyn y Chweched yn gwrando ar bob gair o geg yr areithiwr. Lle ar wyneb daear cafodd hi'r wyneb i ddod i'r brotest a hithe wedi mynnu astudio Daearyddiaeth drwy Saesneg, doedd gen i ddim syniad.[49]

Safai Mam a dwy neu dair o'i chyfeillion rai llathenni ar wahân i'r gweddill ohonon ni. Roedd Mam wedi llwyddo i droi dau focs sirial gwag (neu bron yn wag: caem fwyta o'r plastig am rai boreau) yn blacard a gyhoeddai: DIM GWERSI SAESNEG! Diolches yn ddistaw bach nad oedd slogan fwy enllibus ar y bocs sirial, er mor anghywir oedd ei neges. Saesneg oedd fy hoff bwnc ar ôl Cymraeg (a Miss Cymraeg oedd yn gyfrifol am oruchafiaeth y Gymraeg,

---

49 Deallais wedyn fod Gwenno bellach yn astudio'r cwrs Daearyddiaeth drwy'r Gymraeg am ei bod hi'n ffansio Morgan, cyd-ddisgybl iddi yn y Chweched, sy'n digwydd bod yn aelod o'r Gymdeithas. Fe hefyd oedd yn areithio yn y brotest. Rhaid bod hormons rhyw fy chwaer yn drech na'i hormons gwrthryfela.

ddim y pwnc yn ei hanfod.[50])

Cyn i'r areithiwr orffen siarad, dechreuodd un neu ddau o'r plant yn y rhes flaen siarad ymysg ei gilydd a thynnu gwynt – wrth i'r crwt annerch, roedd Ffowc wedi ymddangos y tu ôl iddo a golwg y fall ar ei wyneb. Ac wrth sylwi arnyn nhw, sylwes ar rywun arall yn nesu atom o'r tu ôl – Lisa Snow. Safodd yno'n gwrando'n astud ar y crwt o'r Chweched, a chynhesodd fy nghalon fymryn wrth feddwl fod 'na ochr fwy egwyddorol yn perthyn iddi wedi'r cyfan. Nid pob bwli fyddai'n ymuno â phrotest dros gyfiawnder i'r iaith. Pethau apathetig iawn yw bwlis fel arfer pan ddaw hi at wleidyddiaeth, ie ddim?[51]

Saethes edrychiad at adeiladau'r ysgol i weld oedd Sarah-Snob, Cerdd, yn cadw llygad ar y brotest, gan

---

50 'Wy'n dechrau poeni fod Miss Cymraeg yn mynd i dyfu'n fwy a mwy o obsesiwn yn ystod y blynyddoedd nesa 'ma. Beth ddaw o 'nheimladau i at Lisa pe digwydd hynny? *Nodyn i fi fy hun: ar ôl gorffen hyn o hunangofiant, gofyn i Miss Cymraeg edrych drosto i'w gywiro. **Nodyn arall, pwysicach, i fi fy hun: torri unrhyw gyfeiriad at Miss Cymraeg mas cyn ei roi i Miss Cymraeg i'w gywiro.

51 A gaf i ategu mai pethau apathetig iawn yw gwleidyddion fel arfer hefyd. A pathetig yn aml, yn fy mhrofiad i. Os oes 'na faw i roi'ch troed ynddo fe, a chithe'n wleidydd, mae'r tebygolrwydd eich bod chi'n mynd i wneud hynny yn 97%. Wir nawr. Fe ystyries i unwaith mai prif weinidog oeddwn i eisiau bod ar ôl tyfu lan, neu aelod cynulliad / seneddol o leiaf, ond fe benderfynais wedyn 'mod i ddim yn ddigon twp / diegwyddor. Pa ryfedd nad yw democratiaeth yn gweithio? Mae ffyrdd eraill o newid y byd. (*Nodyn i fi fy hun: Angen cadw llygad ar hinsawdd wleidyddiol y dydd a dileu'r nodyn yma ar ryw bwynt yn y dyfodol os bydd i'w weld yn rhy anarchaidd ei gynnwys).

hanner gobeithio ei bod hi. Fyddai hi ddim yn hapus o weld Lisa'n agos at y giwed anystywallt roedd hi wedi'i thynghedu i geisio rhoi rhywfaint o gerddoriaeth yn eu penglogau nhw.

'Rhowch y placardia 'na i lawr ar unwaith!' bloeddiodd Ffowc ar draws y crwt o'r Chweched – sef yr unig un oedd â'i gefn at Ffowc a'r unig un na welodd mohono'n nesu. Fe neidiodd y crwt nes oedd ei ddwy droed e oddi ar y llawr yn glir.

'AR UNWAITH!' gwaeddodd Ffowc.

'Ffowcyn Ellis!' mwmiodd Cai Tshops o dan ei wynt. ''Co ni off nawr 'te.' Tyngwn fod cyffro gwirioneddol frwd i'w glywed yn ei lais.

'Oi!' daeth llais o gyfeiriad y mamau – llais roeddwn i'n bur gyfarwydd ag e. 'Pwy ddiawl chi'n feddwl y'ch chi?'

Doedd Ffowc ddim wedi disgwyl gweld rhieni yno, a chymerodd eiliad iddo sadio. Allai e ddim ein trin ni fel bwystfilod anwaraidd a mamau'r bwystfilod anwaraidd yn bresennol, allai e?

'Mae 'na ffordd weddus o ddatgan cwyn,' prepiodd yn brepllyd.[52]

'Ffat lot o iws na'th 'ny!' Un o'r mamau eraill y tro hwn, diolch byth – mam Cai 'wy ddim yn amau. 'Fe dreion nhw ddechre deiseb. Ond so chi'n fo'lon gwrando gair ma neb yn weud os yw e'n gro's i beth y'ch *chi*'n weud! Shwt fath o ddemocratieth yw 'na, y? Democratieth Hitler! Democratieth Stalin!'

Dechreuodd pawb weiddi eu cytundeb a churo dwylo – a'r disgyblion hyna'n deall y gyfeiriadaeth hyd yn oed os

---

52 'Wy'n lico'r gair 'na er bod cyffyrddiad gogleddol iddo – neu falle oherwydd bod tueddiad gogleddol iddo?

nad oedd y rhai iau.

'Ma 'na ffyrdd o ddatgan cwynion. Trefn gywir i'w dilyn!' datganodd Ffowc yn awdurdodol.

'Ffordd o'u brwsio nhw dan y carped yw 'ny!' clywes lais Mam yn dweud. 'Chewch chi ddim troi ysgol Gymrâg yn ysgol Susneg! Pwy ddiawl chi'n feddwl y'ch chi – Margaret Thatcher?'

Dechreuodd rhai o'r disgyblion oedd wedi clywed am Thatcher chwerthin, a gallwn weld wyneb Ffowc yn cochi gan dymer. Sylwes ar Cai drwy gornel fy llygad yn siarad â dyn wrth gât yr ysgol. Roedd gan y dyn gamera mawr rownd ei war ac roedd e'n sgwennu ar bad nodiadau oedd ganddo yn ei law.

'Ma'r cyfan er lles y disgyblion!' dadleuodd Ffowc yn ôl, y ffŵl dwl ag e.

Cododd llais Mam ris neu ddau. 'Diffyg asgwrn cefen.'

O damo, 'co hi off.

'Diffyg synnwyr cyffredin, diffyg hyder, diffyg gweledigeth! 'Na'ch problem chi, ddyn.'

O damo, damo.

'Yw ysgolion *Ffrainc* yn dysgu rhai pyncie trwy'r Susneg er mwyn gwella'u Susneg nhw? Yw ysgolion *Lloeger* yn dysgu rhei pyncie trwy'r *Ffrangeg* er mwyn gwella'u *Ffrangeg* nhw? Nag 'yn! Ddyle dyn fel chi ddim bod yn bennaeth ar ysgol Gymrâg 'i chyfrwng.'

O damo, damo, damo. Pryd ddaw hyn i ben?

''Dech chi ddim yn gymwys i sgubo'r hewl, ddyn bach! Cymhlethtod israddoldeb traddodiadol y taeog, 'na'ch problem chi!'

'Hwrê!' bloeddiodd criw'r Chweched, a dilynodd y disgyblion eraill eu harweiniad.

'Ma 'da dy fam di flew ar 'i tshest.' Ysgydwodd Gruff Banana ei ben yn llawn edmygedd.

'Dim gwersi Susneg!' dechreuodd rhai o'r disgyblion siantio, gan ddangos mor anodd oedd dewis siant a sloganau addas: wedi'r cyfan, roedd 'Dim defnyddio Susneg fel cyfrwng dysgu' yn amhosib i'w siantio.

'Odi'r llywodraethwyr tu cefen i chi ar hyn?' gwaeddodd un o'r mamau i gyfeiriad Ffowc.

'Gant y cant!' cyfarthodd yntau'n ôl.

Doedd dim dal faint o wir oedd yn hyn, neu hyd yn oed a oedd Ffowc wedi mynd â'r mater o flaen y llywodraethwyr o gwbwl.

'Tynnwch eich dillad!' daeth llais o ganol criw o ferched, ac aeth ias oer i lawr fy asgwrn cefn.

Llais Lisa Snow oedd e, allwn i ddim bod wedi camgymryd. Trois a gweld ei bod hi wedi dechrau tynnu ei chot a'i sgarff a'i menig a'i het, a rhai o'r merched eraill yn dilyn ei chyfarwyddyd. Ar amrantiad, roedd Mam ac un neu ddwy o'r menywod eraill wedi ymuno â nhw. Rhythu'n unig a wnâi'r bechgyn.

'Dewch! Ddangoswn ni iddo fe!' Mam oedd wrthi nawr. 'Os nag yw e'n mynd i newid 'i feddwl, dynnwn ni lunie i'r papure newydd! Llunie o ferched porcyn yn yr eira! 'Na beth ti moyn, Ffowc? Ffowcyn a'i ferched porcyn?!'

O'n i ddim cweit yn dyall beth o'dd hynny'n mynd i'w ennill i'n hachos ni: dau ddwsin o ferched yn llewys eu cryse yn yr eira (roedd 'porcyn' dwtsh dros y top). Erbyn hyn roedd dau neu dri o'r bechgyn wedi ymuno â'r merched ac wrthi'n tynnu eu crysau. Roedd Cai wrthi'n frwd yn ceisio rhoi sbin ar y digwyddiad er mwyn y newyddiadurwr – ffotograffydd bach ifanc oedd yn clician fel peth dwl.

'Rhewi dros yr Iaith! Sgwennwch e lawr!'

Sylweddoles fod Lisa Snow wedi mynd gam yn bellach na'i ffrindiau ac wrthi'n tynnu'i chrys. Neidiodd o gwmpas o flaen y ffotograffydd i ddenu ei sylw a dechreuodd yntau glician yn frwd. Gorweddodd Lisa Snow ar ei chefn yn yr eira yn ei bra. Daliai boster a wnaethai adre uwch ei phen ag arno'r geirie: 'Ysgol Saesneg – Dim Diolch!'

Y llun hwnnw, yn bendifaddau, a welai dudalen flaen y papur wythnosol.[53]

Rhaid bod Ffowc wedi sylweddoli hynny'n syth hefyd. Roedd e yno yn ein plith ar unwaith, yn siarad 'da'r newyddiadurwr.

'Mae 'na gamddealltwriaeth wedi bod.'

'Siaradwch yn uwch!' gwaeddodd un o gryts y Chweched wrth sylweddoli fod Ffowc am – beth ddweda i – gywiro camargraff.

Cododd Ffowc ei lais i annerch y dorf. 'Yn ein hawydd i wella safonau…' dechreuodd ei sbîl.

'Idiot!' gwaeddodd Mam ar ei draws.

Methwn i â thynnu fy llygaid oddi ar y croen gwydd ar dop breichiau Lisa Snow a oedd yn dal ar ei chefn yn yr eira.

'Chi moyn i fi dynnu'n fra…?' daeth llais Lisa Snow lan o'r eira.

A dyna seliodd y mater mewn gwirionedd – nid dadleuon deallus Mam na'n siantio carbwl ni. Na, cwestiwn bach syml Lisa Snow, yn bygwth anweddustra a fyddai'n chwalu enw da Ffowcyn bach, ac yntau ar derfyn ei yrfa – dyna roddodd ddiwedd ar wersi Hanes drwy Saesneg yn ein hysgol ni.

Cododd Lisa i'r camera allu cael llun gwell ohoni.

---

53 A'r pennawd? 'Snow in Snow – snow joke being Welsh'. Da 'de?

'Oreit, oreit! Stopiwch!' gwaeddodd Ffowc, gan godi un law i geisio cuddio lens y camera ac anelu'r llall i gyfeiriad bronnau Lisa Snow. Tynnodd hi 'nôl yn syth wrth ddod yn beryglus o agos i'w cyffwrdd. Roedd e bron â drysu, a'r cyfan a allai rwystro Lisa Snow rhag gwireddu ei bygythiad oedd iddo weiddi:

'Iawn! Iawn! Rown ni ddiwedd ar y drefn newydd os mai dyna 'dach chi isho!'

'Ni moyn e yn ysgrifenedig!' gwaeddodd Mam.

'Ac fe gewch chi o! Gwisgwch amdanoch, hogan!'

Ni wyddai lle i edrych a chwifiai ei law o flaen y camera fel ynfytyn. Bu'n rhaid iddo arwyddo darn o bapur a luniwyd yn sydyn iawn gan un o fechgyn y Chweched yn datgan na fyddai'r cynllun yn mynd rhagddo wedi'r cyfan, a gwisgodd Lisa Snow ei chrys amdani i gadw ei hochr hi i'r fargen. Ymsythodd i wynebu'r Ffowcyn:

'Ewch chi 'nôl ar 'ych gair, Syr… a mater bach iawn yw i fi agor y botyme 'to.'

Trodd at y ffotograffydd / newyddiadurwr a rhoi winc iddo i gyfleu mor hawdd fyddai codi ffôn a phwyntio lens camera.

Addawodd y ffotograffydd i Ffowc na fyddai lluniau anweddus yn ymddangos yn y papur y bore canlynol ac addawodd Ffowc beidio â mynd yn ôl ar ei air ac yntau wedi arwyddo o flaen dwsinau o ddisgyblion a rhieni.

Lisa Snow oedd yr unig un a ddeallodd o'r cychwyn cyntaf mai gweddustra oedd yr unig iaith roedd Ffowcyn yn ei deall mewn gwirionedd. A phe bai'n meiddio cymaint ag edrych arni'n geryddgar am yr hyn a wnaeth, byddai ganddo wrthryfel ar ei blât. Lisa Snow oedd arwres y dydd.

16.

Mas yn yr ardd yn plannu hade roedd Mam pan gyrhaeddes i adre o'r ysgol. Roedd Sam yn iste yn y gegin a'i phen yn ei dwylo.

'Sam…?' holes, yn boenus braidd. 'Ti'n iawn?'

Dyw Sam ddim yn un i wisgo'i theimladau ar y tu fas fel Mam. Edrychodd arna i a gwyddwn ei bod hi wedi bod yn llefen.

'Be sy?'

Mae i Mam lefen yn golygu fod popeth yn normal, fel y dylai fod: bydd Mam yn llefen dros losgi tost, ac yn anghofio iddi wneud hynny o fewn hanner eiliad i sychu ei llygaid. Ond prin iawn yw'r adegau y bydd Sam yn llefen.

'Poeni braidd,' meddai.

'Am be?'

Cododd ei hysgwyddau. 'Petha,' dechreuodd, 'ond dim byd i *ti* boeni'n ei gylch o.'

Yffach Colin! Chi'n dod gatre i weld un o'ch rhieni yn llefen wrth fwrdd y gegin a 'chi ddim i fod i fecso?

Daeth Gwenno i mewn wedyn ac roedd hi'n amlwg fod y ddwy wedi bod yn siarad cyn i fi gyrraedd.

'Cer o 'ma,' saethodd Gwenno tuag ata i. 'Ni'n siarad.'

Gwthiodd fi wysg fy nghefen drwy'r drws a'i gau yn fy wyneb.

Roedd Pip yn y lolfa, ar ei hyd ar y soffa, yn chwyrnu o'i hochor hi. Hanner-eisteddai Ben ar ei fol mewn ymdrech i'w gael i ddeffro er mwyn cael rhywun i whare gêm (anhrydanol) ag e.

Er 'mod i wedi dechrau cael blas ar ddarllen, mae hi wedi bod yn uffernol o ddiflas yn tŷ ni ers i Mam gonffisceiddio'r teledu, y cyfrifiaduron a'r gêmau. Mynd yn fwy a mwy di-hwyl wnaeth Ben[54] ac Elliw, ac roedd Gwenno, wrth gwrs, wedi dechrau ar y busnes o chwilio am ei thad. Dyna o'n i'n tybied oedd yn digwydd yn y gegin. Roedd sawl 'sgwrs' wedi bod yn ddiweddar, rhwng Gwenno a Mam yn bennaf, ond roedd Sam ar ymylon pethau hefyd, yn naturiol. Teimlwn dwtsh o gydymdeimlad â Sam yn y mater: Mam oedd wedi'n geni ni'n pump a hynny drwy fynd i'r clinic i gael had. Dyna'n fras oedden ni i gyd wedi'i gael ar ddeall ganddyn nhw wrth i ni dyfu. Roedd Sam a Mam wedi dweud gymaint roedden nhw'n ein caru ni ac nad oedd union fanylion biolegol y pethau 'ma ddim yn bwysig wedyn.

Ar Mam roedd y bai wrth gwrs – pe na bai hi wedi cael ei ment ambitu cael gwared ar y 'stwff' trydanol a chyfrifiadurol i gyd, fydden ni ddim wedi diflasu cymaint ar gwmni ein gilydd a fyddai Gwenno ddim wedi cael ei chymell i fynd i chwilio am riant arall i wneud iawn am 'wendid' Mam.

Ond roedd y pethau 'ma wedi dechrau cosi yn fy meddwl inne bellach 'fyd, a doeddwn i ddim yn ei gweld hi'n deg fod Gwenno'n cael rhyddid i drafod y pethau 'ma 'da nhw a finne'n cael drws wedi'i gau yn fy wyneb yr eiliad roeddwn i'n dechrau dangos diddordeb. Gwenno oedd y drwg yn y caws – mae hi'n gallu bod shwt fuwch weithiau.

Fe benderfynes 'mod inne eisiau gwbod mwy hefyd. Os oedd Gwenno'n cael trafod y peth 'da nhw, wel pam na

---

54 Gyda llaw, doedd dim sôn fod Ben wedi cnoi Miss Jones, Babanod, wedyn, ar ôl y tro cyntaf pan achwynodd Misus Parry amdano wrth Sam. Falle bod cael Mam 'nôl gatre wedi rhoi digon o sefydlogrwydd iddo i'w gallio. Neu falle fod blas Miss Jones, Babanod, wedi dechrau colli ei atyniad iddo. Af i ddim i holi.

chawn i? Es drwodd i'r gegin a dechreuodd Gwenno weiddi rhegfeydd ata i eto, ond fe anwybyddes i nhw.

'Sam,' medde fi wrth gefen Sam. ''Wy inne moyn gwbod 'fyd. Pam sa *i'n* ca'l gwbod?'

'Nest ti erioed ofyn!' Trodd Sam ata i mewn syndod.

'Cer mas. Ti ddim yn dyall!' gwaeddodd Gwenno. Ond ni symudes i ddim.

Daeth Mam i mewn drwy'r drws cefn a'i dwylo'n fwd i gyd ar ôl bod yn plannu yn y pridd. Meddylies am yr had yn tyfu yn y ddaear ac wedyn am shwt roedd Mam wedi cael had i'n tyfu ni mas o fanc.

'Siarades i 'da nhw!' medde Gwenno wrth Mam. 'Do's dim cofnod yn unman.'

Gweles Sam a Mam yn cyfnewid edrychiad bach sydyn a rhaid bod Gwenno wedi'i ddala fe hefyd.

'Beth chi'n gwato?' holodd yn flin. 'Chi'n cwato rhwbeth. "Siaradwch 'da'ch rhieni" wedodd y fenyw wrtho i! Pam 'wy'n goffo ca'l rywun o'r tu fas i weud wrtho i am siarad 'da chi?! Pam chi ddim yn gweud popeth wrtho i?!'

Roedd Mam wedi gwelwi, a llygaid Sam yn llawn dagrau.

Doeddwn i ddim wedi disgwyl dim o hyn wrth gyrraedd gatre, a 'mhen yn llawn o'r lês coch ar fra Lisa Snow yn gwrthgyferbynnu'n drawiadol 'da'r eira.

Yn ara deg, fel pe bai hi wedi heneiddio dros yr oriau diwetha, fe eisteddodd Mam i lawr wrth ochr Sam, a gafael yn ei llaw hi.

'Iste, Gwenno,' medde hi'n ddistaw. 'A tithe Guto, os ti moyn.'

Eisteddes fel robot wrth ochr Gwenno, er nad o'n i damaid o eisiau gwneud chwaith. Roedd llais bach y tu mewn i fi yn dweud wrtha i 'mod i ar fin cael gwbod rhywbeth mawr, rhywbeth oedd yn bygwth newid pethau sylfaenol, rhywbeth nad oeddwn i'n mynd i fod eisiau ei glywed.

'Paid,' medde Sam yn daer wrth Mam. 'Paid â deud dim byd!'

'Ma angen i fi weud, Sam,' medde Mam. ''Wy ddim yn gwbod pam ni wedi'i adel e mor hir a gweud y gwir yn onest.' Ysgydwodd ei phen.

'Dyna be oeddat ti isio,' medde Sam wedyn. 'Dyma fel roedd hi fod.'

'Dyma fel gadawest ti iddi fod, er 'y mwyn i,' gwasgodd Mam law Sam yn dynn.

'O's un o chi'n meindo gweud wrtho i beth yffach chi'n siarad ambitu?' Roedd Gwenno'n bygwth ffrwydro eto fyth.

'O'dd dim pwynt i ti holi am fanylion yn y clinig,' medde Mam.

'*Nawr* ti'n gweud 'ny!'

'O'n i'n gobeitho y calliet ti – rhoi lan y busnes whilo 'ma.'

''Wy o ddifri!' mynnodd Gwenno. 'Ma hawl 'da fi wbod pwy yw 'nhad i! Os nage'r clinics, beth 'te? Cysgu 'da fe nest ti?'

Daliai Mam i edrych yn llygaid Sam.

'Os wyt ti'n berffaith siŵr...' medde Sam. Nodiodd Mam. 'Ella dyliach chi i gyd ga'l clywed 'ta.'

'Pam? 'Dyn nhw ddim yn moyn gwbod,' medde Gwenno am Rhodri, Elliw a Ben. Ei chenhadaeth hi oedd hon wedi bod o'r cychwyn.

'Cer i hôl nhw,' medde Mam. 'Pawb i iste wrth y bwrdd, a naf i baned.'

17.

GAN GWPANU BOBI baned – neu bop mwyar duon yn achos Ben ac Elliw – fe ddaeth y gwir mas o'r diwedd. Syllem oll ar Mam, yn arswydo rhag beth allai hi ei ddweud wrthon ni – mai plant orang utang o Sŵ Caer oedden ni, neu êliyn o Mars roedd hi wedi digwydd taro arno fe ar drip Merched y Wawr i Gilmeri. Ddim bod Mam erioed wedi bod yn aelod o Ferched y Wawr ond chi'n gwbod beth 'wy'n feddwl.

'Dwi'n 'i ddeud o eto…' dechreuodd Sam, ond wnaeth hi ddim o'i ddweud.

'Ddim fi yw'ch mam chi,' medde Mam. Fel 'na. Fel bollt o'r gwagle. Yn gwneud dim synnwyr o gwbwl, er gwaetha'r ffaith ei fod e'n gwneud synnwyr hefyd. Rhythodd pump ceg arni'n fud. 'Dyfoch chi i gredu 'ny, ond wedes i erioed mohono fe, a gad'on ni chi i gredu 'ny. O'dd e'n rhwyddach i neud 'ny rywffordd.'

Gwenno gafodd hyd i'w llais yn y diwedd:

'Adopto! Adopto ni nisoch chi!'

Rhythodd Mam arni. Roedd hyd yn oed fi wedi dyall cyn Gwenno.

'Nage, ddim *adopto*, y bat! *Sam* yw dy fam wa'd di! Ddim fi… ond *Sam*! Yffach Colin…!'

Trodd pawb ohonon ni'n pennau i edrych ar Sam. Roedd hi wedi bod yn fam i ni erioed, oedd… ond feddyliodd neb ohonon ni mai hi oedd wedi'n geni ni chwaith.

'Ddylen ni fod wedi cadw llunie…' medde Mam yn dawel. 'Ond unweth ddechreuoch chi dyfu lan a chymryd yn ganiataol mai fi o'dd wedi'ch geni chi, wel… fe gadwodd Sam at 'ny.' Edrychodd ar Sam a'r dagrau'n cronni yn ei llygaid. Gwasgodd ddwylo Sam eto. 'Achos o'dd Sam yn gweld shwt gyment o'dd e'n olygu i fi bo chi'n meddwl mai fi o'dd 'ych mam chi… 'ych *mam* chi… chi'n gwbod beth 'wy'n feddwl. O'n ni'n byw yn y gogledd pan gawsoch chi'ch tri hyna 'ych geni, a ddilynodd y gwir ddim ohonon ni lawr 'ma.'

'Ei, howld on!' dadleuodd Gwenno. 'Weles i erioed o Sam â bol mawr! Fydden i'n 'i *chofio* hi'n cario Elliw a Ben. Allech chi ddim cwato hynna!'

'Ti'n cofio'r ffilmie 'na a'th Sam bant i neud?'

'Ooo ie,' ebychodd Rhodri wrth i'r sylweddoliad ei daro.

'Y blw mwfis!' medde fi, cyn gallu rhoi ffrwyn ar fy nhafod. Trodd pawb i edrych yn od arna i am hanner eiliad cyn i Mam ailafael yn yr hanes.

'Nest ti erioed feddwl ei bod hi'n od fod babi newydd yn dod i'r tŷ bob tro y dôi hi 'nôl o acto yn y ffilmie?' gofynnodd i Gwenno.

'Ond *pam*…? Pam gweud celwydd?' mynnodd Gwenno.

''Wy ddim yn siŵr,' cododd Mam ei hysgwyddau. 'Ar ôl gadel i bawb feddwl mai fi o'dd wedi'ch geni chi'ch tri hyna, ro'dd hi'n haws cario 'mla'n i neud 'ny 'dag Elliw a Ben.'

'Ac o'n i'n ca'l llonydd a mwytha dros y beichiogrwydd drw' fynd i'r gogledd i aros efo Nain,' medde Sam gan wenu.

'Ro'th Sam hynny i fi…' medde Mam, ar ei thrywydd ei hunan. 'Y celw'dd mai fi na'th 'ych geni chi.'

'Am mai ddim ti na'th,' medde Sam yn dawel wrth Mam. 'Ti oedd yr unig un heb ran fiolegol yn 'u creu nhw.' Ac fe ddealles i'n syth: roedd hi'n well ein bod ni'n credu mai'r un *heb* ran fiolegol yn ein gwneuthuriad ni oedd ein mam waed ni go iawn.

'To'dd y gwir go iawn ddim yn bwysig,' medde Sam yn dawel.

'Mae e, os chi'n trial nabod pwy y'ch chi!' medde Gwenno, wedi dod o hyd, unwaith eto, i'r syniad ei bod hi'n dioddef anghyfiawnder ar bob cam o'r ffordd.

'Arhosa funud,' medde Rhodri gan bwyso ymlaen dros y bwrdd. 'Ti oedd yr unig un, medde Sam… ti oedd yr unig un heb ran fiolegol yn 'yn creu ni… Beth ti'n feddwl wrth 'na?' Edrychodd ar Sam. Moelais fy nglustie i drio'i ddeall. 'Yr unig un o *bwy*?' holodd Rhodri wedyn.

'Pwy yw Dad?' holodd Gwenno gan edrych ar Sam fel pe bai hi'n fwy tebygol na Mam o gofio nawr ei bod hi'n gwbod mai hi oedd wedi'n geni ni.

Gwasgodd Mam a Sam ddwylo'i gilydd yn dynnach. Anadlodd Mam yn drwm. Cododd Sam ati, a rhoi'r goflaid gynhesa weles i hi'n ei rhoi iddi erioed.

Syllodd Mam arnon ni ein pump.

'Ma fe mewn fyn'co,' medde Mam. 'Yn whyrnu ar y soffa.'

18.

DEFFRODD PHILIP ZACHARIAH Jenkins, sef Pip, a chael sioc ei fywyd wrth weld pum pâr o lyged yn rhythu i lawr arno fe.

'Ma'r gath mas o'r cwd,' medde Mam o'r drws.

Rhaid ei fod e wedi deall yn syth, achos fe gododd ar ei eistedd a thynnu'i law drwy'i wallt. Doedd ei feddwl e ddim eto wedi dod i ben â ffurfio geiriau. Daliai i grafu ei wallt cordeddog, fel pe bai'n teimlo fod angen iddo roi trefn ar y mop nawr fod y gwir mas ei fod e'n dad i bump o blant. Syllai ar y llawr.

'Cachu,' medde fe dan ei wynt o'r diwedd.

'Ffowcyn Ellis!' ebychodd Gwenno. 'Trysto'n lwc ni!'

'Damia,' medde Pip wedyn. 'Be rŵan?'

'So fe'n newid dim byd,' medde Mam. 'Ac 'wy wedi gweud mai dim ond rhoi nest ti... cyfrannu dy had – dim byd mwy na hynny.'

'Ych,' medde Pip, fel pe bai i gadarnhau mai gweithred annifyr fu ein creu ni'n pump.

'Mewn ffordd o siarad, ie,' medde Mam. ''Drycha arnon nhw. "Ych" weden inne 'fyd.' Ond roedd gwên lydan ar ei hwyneb a'r rhyddhad o chwydu'r gwir mas yn amlwg arni.

'Isho ca'l pen fi rownd hyn,' medde Pip, yn dal i grafu ei wallt blêr. 'Fi off.'

Gafaelodd yn ei siaced oddi ar lawr, ac anelu am y drws.

'Fi'n mynd i Birmingham,' medde fe, fel pe bai rhywun wedi gofyn iddo fe. Ac wedyn fe a'th e mas drwy'r drws.

‘Nawr ’te,’ medde Mam wrth Gwenno. ‘Ti’n gweld pam na nison ni ddim gweud wrthoch chi pwy yw’ch tad chi…?’

19.

'WY'N TREIAL DOD i dermau 'da pwy ydw i. Treial nabod 'yn hunan. 'Wy'n gwneud pethau fel sgwennu barddoniaeth i dreial sicrhau hynny. Falle bydd rhaid i fi fynd i weld seicotherapydd. Shrinc. Cael rhywun i fy nadansoddi i. 'Wy'n gawdel i gyd nawr chi'n gweld.

Naaaa! Dim ond jocan! Rwtsh yw beth 'wy newydd sgwennu. 'Wy ddim yn teimlo yn wahanol, a dweud y gwir. Tamaid bach yn od bod Pip yn rhan o bethau a'i fod e o'r un gwaed â ni, sy'n eitha tipyn o ofid os meddyliwch chi amdano fe'n ddigon hir, ac os y'ch chi'n nabod Pip – ond gallai fod yn waeth. Falle.[55]

'Wy ffili aros i ddweud wrth Lisa Snow am y darganfyddiad. Galla i droi'r taps 'mlaen *big time*, rhoi'r argraff fod gen i lwyth o feichiau emosiynol i ddod i delerau

---

55 Galla i feddwl am un neu ddau fyddai'n gwneud tadau mwy anobeithiol. Wel, un 'te. Gall y genedl anadlu ei rhyddhad na fu erioed 'run Ffowc bach. Gyda llaw, fe gafodd e draethawd ar 'Droi'r Foch Arall' gen i. Er gwaetha pob temtasiwn i sgwennu'n glyfar ac yn ffraeth ar y testun, ildiais i sgwennu pwt bach am heddychwyr mwya'r byd, gan ddyfynnu'n ddiflas o lyfr er mwyn gorffen cyn gynted ag y gallwn. A da o beth oedd hynny gan i Ffowc daflu'r traethawd yn syth i'r bin o 'mlaen i gan ddweud ei fod yn gobeithio 'mod i wedi dysgu fy ngwers. Fe sylweddoles i ar amrantiad nad ydw i'n heddychwr wedi'r cyfan, wrth i fi ddychmygu'r pleser o stwffio cwmpas drwy'r smotyn blewog ar ei ên e a chario mlan i wasgu nes bod y pigyn yn dod mas drwy ben arall ei benglog e.

â nhw. Dweud celwydd mewn geiriau eraill, ond dim byd yn rhy drwm, ac wedyn, wrth iddi siarad 'da fi am y peth, galla i 'ddod yn well', gadael iddi hi feddwl ei bod hi'n fy ngwella i, yn acto fel seicotherapydd personol i fi. Hm, falle'i fod e'n werth trei.

O nabod Lisa, fydd hi ond yn dweud wrtho i am dynnu'n socs lan a sorto'n hunan mas. Achos mae hi wedi cael llawer mwy o dreialon emosiynol na fi, on'd yw hi?

Ond 'wy'n byw yng ngwlad y gwcw yn ystyried y byddai hi'n siarad 'da fi am y pethau 'ma o gwbwl. Ar wahân i'r bore y daeth hi yma i ddweud wrtha i fod ei thad hi wedi gadael, dyw hi ddim wedi siarad fawr ddim 'da fi. Fe fydd hi'n dweud 'helô' os ydyn ni'n digwydd pasio yn y coridor, ond dyw hi ddim yn edrych yn hynod o falch o 'ngweld i nac yn arbennig o awyddus i gario 'mlaen i siarad pan fydda i'n oedi tamaid bach i weld os dwedith hi fwy.

Dyw hi byth *yn* dweud mwy.

'Wy'n treial gweithio mas yn fy mhen beth mae hi'n feddwl ohona i. Fe ddaeth hi yma i'r tŷ – rhaid bod hynny'n rhywbeth. Dod yma i ddweud wrtha i fod beth o'n i wedi'i glywed yn wir – cystal â dweud wrtha i fod dim angen i fi boeni 'mod i wedi rhoi 'nhroed ynddi am ei thad achos bod pethau wedi gwella yn y diwedd.

Wedyn, fe ddaeth hi i'r brotest, ac yn fwy na hynny, fe wnaeth hi'n siŵr fod y brotest yn llwyddiant. Fyddai neb arall wedi cael y gyts i wneud beth wnaeth hi.

Bob nos, 'wy'n edrych ar y darn bach o lawr fy stafell lle safodd hi'r bore o'r blaen nes 'mod i'n cwympo i gysgu. 'Wy wedi stopio Ben rhag gadael ei deganau'n agos at y fan. Mae cylch dychmygol 'da fi rownd y patshyn i'w warchod e rhag ei annibendod e. Ac 'wy byth yn towlu 'nillad isa ar lawr rhagor, rhag ofan y bydd hi'n penderfynu galw 'ma i ddweud rhywbeth wrtha i fel y gwnaeth hi y bore hwnnw.

Mae Mam wedi dechrau synhwyro fod rhywbeth yn odiach na'r arfer amdana i. Mae hi'n taflu edrychiad bach rhyfedd arna i bob tro 'wy'n dod mas o'r gawod, fel pe bai hi'n amau rhywbeth.

'Faint o gemicals sy ishe i fachgen peder ar ddeg sgwyrto o dan 'i geseile cyn 'i fod e'n fo'lon, gwedwch?' medde hi y bore o'r blaen. 'Wy ddim yn meddwl 'mod i'n rhoi gormod. Mae Rhodri'n mynd drwy duneidiau o'r stwff, a Gwenno sy'n cadw'r ffatri *Impulse* ar agor.

'Wy ddim yn moyn sbwylo pethau rhwng Lisa Snow a fi drwy ddrewi. Mae hi mor hawdd peidio drewi drwy sgwyrto'r stwff iawn ar yr adeg iawn. Ddwges i un o ganiau *aftershave* Rhodri er mwyn mynd ag e i'r ysgol yn fy mag i'w sgwyrto fe amser cinio wrth i'r chwys ddechrau trechu'r *Jungle Fresh*. Ond fe ddaeth Cai Tshops ar ei draws e, a thynnu 'nghoes i'n ddidrugaredd o flaen y bechgyn eraill i gyd. Fe fues i'n lwcus na chlywodd Lisa Snow – dyna beth fyddai ei diwedd hi. Dyna'r tro diwetha 'wy'n mynd â stwff gwynto'n neis 'da fi i'r ysgol – bydd yn rhaid i sebon potel cachdy'r bechgyn wneud y tro o hyn 'mlaen.

Mae'r newyddion ambitu Mam a Sam a Pip wedi gwneud pethau rhyfedd i'n teulu ni. 'Wy ddim yn siŵr shwt i ddisgrifio'r newid. Does dim byd mawr wedi digwydd, ar wahân i'r ffaith fod Gwenno wedi tawelu cryn dipyn ers iddi sylweddoli nad oes angen iddi chwilio am riant arall er mwyn iddi gael ei regi. Dyw Pip ddim yn neb y gallech chi ei regi mewn unrhyw ddull na modd – byddai fel rhegi'r haul am ddod i'r golwg rownd ochor cwmwl. Mae e jyst 'na pan mae e 'na, a jyst ddim 'na pan dyw e ddim. Dyw e ddim fel pe bai e'n rhan o unrhyw sgwrs na deinameg deuluol. Presenoldeb yw e, fel mae cysgod yn bresenoldeb.

Mae Sam wedyn yn cael ei gweld mewn golau ychydig bach yn wahanol ers i ni ddysgu mai mas ohoni hi y daethon ni i gyd, a ddim mas o Mam. Mae e wedi rhoi ment Mam mewn golau newydd hefyd. Does dim rhyfedd ei bod hi'n cael llond bola ar redeg i ni. Yn ei meddwl hi, mae hi'n gorfod profi'i hunan drwy'r amser, mai hi yw Mam, lawn cymaint â Sam. 'Wy'n gobeithio y gall hi ymlacio damaid bach nawr ein bod ni i gyd yn gwbod y gwir, nawr ei bod hi'n gweld na all y gwir wneud dolur iddi.

Mae Gwenno mas yn ei helpu hi i dorri ffrwcs ym mhen pella'r ardd yn barod ar gyfer y sied ieir, ac mae Rhodri wedi trwsio'i hen feic er mwyn i Ben gael ei reido fe. Mae gwyrthiau *yn* gallu digwydd, chi'n gweld.

Fe fydden i wrth 'y modd, serch 'ny, pe bawn i'n gallu meddwl am *ryw* reswm dros deimlo'n felancolaidd. Melancolia sy'n gyfrifol am rei o brif weithiau llenyddol y byd. 'Wy'n fardd claf o gariad, odw, ond dyw hynny ddim i'w weld yn ddigon i 'nghael i i sgwennu cerddi. Ac mae'r eidentiti creisis diweddara 'ma eto i esgor ar linell o safon sy hefyd yn gwneud synnwyr. Mae'n rhaid i fi feddwl am rywbeth i ennyn y melancolia angenrheidiol.

20.

DREIES I DAC arall.

Es i mas i helpu Mam yn yr ardd i weld a fyddai bod yn agos at y tir yn cymell yr awen fel y gwnaeth i Dic. Roedd rhywbeth eitha melancolig am ei waith e hefyd cofiwch, ond roedd y busnes natur 'ma yn gwneud lan am hynny – troad y rhod a phethau'n marw a phethau eraill yn byw. Does dim angen bardd i weld mai 'na beth sy'n digwydd ond mae enw mawr 'da Dic a fuodd 'na lot o alar cenedlaethol pan fuodd e farw. Wedyn mae'n rhaid ei fod e wedi gweld rhyw wirioneddau pwysig mewn pethau obfiys.

Roedd Mam wrthi'n taranu wrth y felin wynt. Fel 'na ma Mam: pregethu fel ynfytyn wrth bethau sy ddim yn gallu ateb 'nôl. Roedd tamaid bach o drueni 'da fi dros y felin wynt yn hynny o beth.

'Gweitha, nei di?! Ti'n torri lawr yr eiliad ti'n cyrra'dd 'ma! Ti fod i achub y byd; ti *fod* i gadw ni fynd! Ti'n iwsles – 'na beth wyt ti: iwsles, ti'n clywed?'

Fe giciodd hi goes y felin wynt wedyn a chael cryn dipyn o boen yn ei choes ei hunan, ddweden i, wrth i'w throed daro'r metel trwchus. Ei hela hi'n waeth wnaeth hynny yn hytrach na dod â hi at ei choed: gwneud iddi wylltio hyd yn oed yn fwy wrth y felin wynt fud am ei bod hi wedi gwneud dolur iddi.

'Dyw hi ddim yn gallu dy glywed di,' medde fi wrth Mam, rhag ofan bod y gwirionedd bach hwnnw heb dreiddio i mewn i'w hymennydd hi eto. Wnaeth fy nghyfraniad i, na 'mhresenoldeb i yn yr ardd, pe dôi i hynny, ddim rhithyn o wahaniaeth i'r tanad roedd Mam yn ei roi i'r felin wynt.

''Wy'n gwitho ddydd a nos, talu trwy 'nhrwyn… am rial croc[56] sy ddim yn gwitho! Am dwlpyn o fetel diwerth i lanw 'ngardd i! Pwy *sens* sy'n y peth, y? Y?'

'Wy'n lled gredu y bydde Mam yn fodlonach ei byd pe byddai'r felin wynt *yn* ei hateb hi, yn dweud 'Sori, bach' wrthi. Fyddai Mam yn mynd o 'na'n hapus ei byd wedyn, wedi cael yr ymddiheuriad roedd hi'n whilo amdano gan y twlpyn o fetel.

'Ti moyn help?' gofynnes. ''Da'r ffrwcs 'wy'n feddwl – ddim i gico honna,' ychwaneges, rhag peri camargraff.

Tawelodd Mam gan bwyll bach wedyn – achos 'mod i wedi cynnig helpu o bosib. Er mai fi sy'n dweud hynny, rhedeg milltir rhag gorfod helpu fydden i fel rheol. Rhaid bod diflastod bodoli heb ddim byd i wneud yn y tŷ yn dechrau dweud arna i. Fel Gwenno, mae rhan fach ohona i'n dechrau lyco'r tyfu llysiau 'ma, gwneud rhywbeth heblaw rhythu ar sgrin o ryw fath neu'i gilydd. Mae bod mas o'r tŷ yn rhywbeth mae'r pump ohonon ni – a Sam (sydd yn y londyrét rhwng 9 a 3 bob dydd) – yn dechrau dod i arfer ag e.

Bues i wrthi'n helpu i dorri'r drain 'da bilwg a theimlo fel un o'r anturiaethwyr cynnar yn torri eu ffordd drwy jyngl yr Amason am y tro cynta yn hanes dynion gwyn. Fyddai Mam byth wedi rhoi bilwg yn fy nwylo i heblaw bod cymaint o angen cael gwared ar y ffrwcs cyn y prynhawn, pan oedd y

---

56 A wyddech chi fod rhai crocodeiliaid yn byw nes eu bod nhw'n 100 oed? (*Fascinating Animal Facts* – gweler uchod). Ffaith i chi. Ffaith arall: os teipiwch chi 'Lisa Snow' i mewn i Gwgl, fe gewch chi 43,500 o gysylltiadau. Ond ychydig iawn ohonyn nhw sy'n berthnasol i fy Lisa i. Fy Lisa i. Fy Lisa i. Fy Lisa i. Fy Lisa i. Gallwn barhau i'w sgwennu drwy'r dydd. (Ond wna i ddim.)

cwmni gwneud siediau yn delifro'r sied ieir. Bydd yr ieir eu hunain yn cyrraedd ymhen tridiau.

'Faint o ieir sy'n dod?' holes, yn y gobaith y byddai siarad amdanyn nhw'n gwella hwyliau Mam wedi'r drafferth 'da'r felin wynt.

'Ca' dy geg am y blincin ieir!' medde Mam gan fachu bys ar ddraenen go filain.

'Na'r diolch mae rhywun yn ei gael am dreial codi calon ei fam! *Hi* oedd yn moyn y pethau, ddim ni. 'Wy'n gwbod ei bod hi'n becso am y felin wynt, achos dyw'r bachan sy'n eu trwsio nhw ddim yn gallu dod lan o'r de tan ddiwedd yr wythnos ac mae sôn fod eira ar ei ffordd (o'r gogledd, nid o'r de, felly fydd e ddim yn dod lan yr A470 neu'r M4 'da'r bachan trwsio melinau gwynt). Ond jawch, dyw gwisgo cwpwl o jympyrs ychwanegol a dau bâr o drywsus ddim yn mynd i'n lladd ni am gwpwl o ddyddiau. Mae'r pethau 'ma i'w gweld yn becso mwy ar Mam nag arnon ni yn ddiweddar. Ydi'r bywyd amgen yn dechrau mynd ar ei nerfau hi tybed, meddylies, heb feiddio lleisio gair o fy amheuon.

'Wy'n gwbod llawer mwy nag oeddwn i fis yn ôl. 'Wy'n gwbod sawl troedfedd o ffrwcs sy angen ei glirio a maint y sied ieir newydd, sef y maint gorau ar gyfer dwsin o ieir (neu faint bynnag ddaw) i fyw ynddi. 'Wy'n gwbod sawl sachaid o rawn y gallwn ni ddisgwyl iddyn nhw ei fwyta mewn blwyddyn, a sawl gwaith fydd angen carthu'r sied a rhoi gwair newydd o dan yr ieir iddyn nhw ddodwy.[57]

'Wy'n gwbod hefyd sawl uned o drydan ma tegell yn ei defnyddio i ferwi pan fydd e'n llawn o ddŵr a golchad ar 30°; 'wy'n gwbod shwt i wahanu'r plastigau ar gyfer eu

---

57 4' 3" a 6' 3" o redfa; 20 cilogram o indrawn a pheledi yn gymysg; rhy aml.

hailgylchu, a 'wy'n gwbod ar ei ben beth mae fan ailgylchu'r cyngor yn fodlon mynd ag e a beth nad y'n nhw'n fodlon ei gymryd.[58] 'Wy'n gwbod shwt i roi edau mewn nodwydd achos 'wy hefyd yn gwbod shwt i winio bwtwm ar grysau neu ar drywsusau. Dysgodd Mam Gwenno, a dysgodd Gwenno fi. 'Wy'n lico gwinio. Mae e'n soporiffig, fel cael rhywun arall i gribo'ch gwallt. Ond ddim cweit yn soporiffig chwaith – gwneud i chi ymlacio yn fwy na gwneud i chi gysgu. Peth peryglus iawn yw cwympo i gysgu a nodwydd yn eich llaw.

'Wy hefyd yn gwbod bod cerdded i'r ysgol a 'nôl yn arbed chwarter tanc o betrol bob wythnos, a 'wy'n gwbod 'mod i'n llosgi tri chan calori y diwrnod wrth wneud hynny (Gwenno ddwedodd hyn. Mae hi'n deall caloris tu whith mas); 'wy'n gwbod bod Pip yn Halifax ar hyn o bryd (wedi mynd yn ei flaen yno o Fyrmingham) yn gwerthu hen CDs oedd 'da Mam a Sam yn yr atig a'i fod e wedyn yn symud 'mlaen i Luton i weld cwpwl o'i ffrindiau ac ymweld ag ocsiwn cychod ail-law cyn galw 'nôl ffordd hyn ar ei ffordd i Cork i weld rhyw fenyw sy 'da fe yn y fan 'ny.

'Wy'n gwbod bod Gwenno'n gallach ers iddi ddyall bod rhywun heblaw hi yn byw yn y byd 'ma – ac yn y tŷ 'ma pe bai'n dod i hynny; 'wy'n gwbod bod Rhodri o fewn deuddydd i fennu ei *Lynx* ('wy'n gwbod achos bod e'n cael bach o help gen i i fynd drwyddo); 'wy'n gwbod bod Ben yn dal i ddihuno yn y nos yn llefen ers pan oedd e'n fabi bach, ac mai Sam sy'n codi ato bob tro i roi cwtsh iddo fe nes ei fod e'n mynd 'nôl i gysgu, a Mam drws nesa yn eu gwely nhw

---

58 1 uned, 3 uned; bin glas i blastigau polyethylen (pop, llefrith ac ati) a bin coch i blastigau eraill (twb iogwrt, twb menyn ac ati); gwydr, tuniau, ffoil, cardfwrdd, plastig polyethylen a chaniau *Impulse* a *Lynx* gwag Gwenno a Rhodri.

yn gwrando arni'n mwmian cysuron wrth Ben nes ei fod e'n cysgu wap.

'Wy'n gwbod shwt gymaint o bethau.[59]

Ond does dim syniad 'da fi shwt 'wy'n mynd i ennill Lisa Snow yn gariad i fi.

Fe feddylies i unwaith y gallen i sgwennu cerdd iddi – rhywbeth tebyg i gerdd y prifardd Dewi Pws Morris: 'Ti yw…' a rhestr o'r pethau cyffredin yn ei fywyd e sy'n cyfleu gymaint mae e'n caru ei gariad. 'Ti yw'r dwfe oren', dechreues i, yn meddwl bod eitha siâp ar hynny. Erbyn i fi gyrraedd: 'ti yw'r stwff sy'n lagio peips y gwres canolog' roeddwn i wedi colli pob cyfri ar eiriau, pob syniad call a phob synnwyr, felly fe roddes i'r gorau iddi a dechrau meddwl am ffordd arall o sgwennu cerdd.

Metaffor! Trawodd e fi fel bollt! Sgwennu am rywbeth *arall* oedd eisiau. Anghofio Lisa Snow – sgwennu am rywbeth arall gynta a dod â fe 'nôl ati hi. Disgrifio'r blodyn, y machlud, y gwanwyn… neu rywbeth damaid bach mwy gwreiddiol falle, fel *chicken tikka massala* The Light of Bengal. Mae hwnnw'n gwynto'n well na dim 'wy erioed wedi'i arogli o'r blaen, a'i liw e'n bertach na dim 'wy wedi'i weld. Ond pan ddechreues ddisgrifio'i flas e ('sawrus saig') fe es i i deimlo'n dipyn bach o byrfyrt, achos does dim hawl 'da fi sôn am flas Lisa Snow oes e?[60] Ac a dweud y gwir, 'wy ddim yn credu y byddwn i'n deg iawn â hi – na *chicken tikka massala* The Light of Bengal pe bawn i'n dweud eu bod nhw'n blasu'n debyg i'w gilydd.

Ond wedyn, doeddwn i ddim wedi ystyried cryfder yr

---

59 Er enghraifft: mae 1 biliwn o geir ar y ffordd yn y byd. 'Wy'n gwybod hynna, ond mae'n anodd iawn, iawn dychmygu biliwn.

60 Hefyd, roedd yr hanesyn bach am Ben a Miss Jones, Babanod, yn dal yn atgof rhy glir yn fy meddwl.

awen na'i dulliau gwahanol o fynegi'i hunan. Fe ddihunes ganol nos â 'ngharIad i at Lisa Snow yn chwyddo yn fy mrest fel peswch wedi tewhau ar ôl i annwyd pen glirio. Roedd yn *rhaid* i fi fynegi'n hunan! Es i whilo gynta am bensel neu feiro. Roedd Ben yn cysgu oddi tana i ar y bync gwaelod a doeddwn i ddim tamaid o eisiau ei ddihuno fe achos does 'da fe ddim syniad beth yw bod mewn cariad na beth yw bod yn fardd.

Roedd ei drwyn e'n gwneud sŵn gwichian fel pe bai llygoden fach fach wedi mynd yn sownd lan un o'i ffroenau a fues i bron â phipo lan i weld. Ond fe gofies shwt gymaint roedd yn rhaid i fi whilo am bapur i sgwennu fy meddyliau lawr a beiro... a jawch, wrth basio'r fasged winio roedd Gwenno wedi'i gadael ar ganol bwrdd y gegin fe drodd yr ysfa oedd ynof i i ddod o hyd i feiro i fod yn ysfa i roi edau mewn nodwydd a gwinio rhywbeth! (Roedd hi'n bum munud i bedwar ar y cloc, gyda llaw. Mae'r gegin yn edrych yn debycach i gegin rhywun arall na'n cegin ni am bum munud i bedwar y bore). Roeddwn i ychydig bach yn grac 'mod i'n colli'r awen. Fel 'na gwelwch chi: mae hi'n llithro mas o'ch pen chi fel dŵr drwy ridyll yr eiliad ry'ch chi'n dechrau meddwl am sgwennu rhywbeth lawr. Ond ar yr un pryd, roedd fy stumog i'n cnoi, yn moyn gwinio rhywbeth...

A wir i chi, erbyn hanner awr wedi pump, roeddwn i wedi gwinio gorchudd clustog sgwâr 'da siâp calon binc arno fe – un rhyfeddol o dda, er mai fi sy'n dweud. Es am gewc i'r lolfa i weld a allen i ddwgyd clustog fach o ganol y pentwr sy yn y fan honno heb i neb weld ei cholli. Ac fe osodes y gorchudd amdani a gwinio'r hanner ochor oedd ar ôl i'w chau hi lan yn deidi. Ffowc bach, roedd e'n waith a hanner! Roeddwn i mor browd ohono i'n hunan fe fethes fynd yn ôl i gysgu. Fe eisteddes yn fy ngwely yn edrych ar fy ngwaith llaw, bob un pwyth roeddwn i wedi'i winio, a rhyfeddu. Rhaid bod yr awen yn gweithio mewn pob math o wahanol ffyrdd, meddylies, nid dim ond drwy gerddi, neu lenyddiaeth, neu gelfyddyd hyd yn oed; mae pobol â'r gallu i wneud rhyfeddodau mewn cant a mil o wahanol ffyrdd. Roedd y ffordd roedd Sam a Mam wedi dod at ei gilydd a'n magu ni yn wyneb pob rhwystr yn rhyw fath o awen, oedd hi ddim? Neu os nad oedd hi'n awen, roedd hi'n rhywbeth arall mwy – roedd hi'n rhywbeth 'wy'n obeithio amdani i fi fy hunan ryw ddydd. Fi a Lisa Snow.

'Wy ddim y credu y ca i byth ddigon o gyts i roi'r glustog iddi ddydd Llun serch hynny.

21.

GYTS NEU BEIDIO, fe roddes i'r glustog yng ngwaelod fy mag ysgol, a'i chuddio 'da'r llyfrau. 'Wy ddim yn gwbod pam. 'Wy'n credu falle 'mod i eisiau twyllo'n hunan y *gallwn* i roi'r glustog i Lisa Snow pe bawn i'n dewis gwneud hynny, a thra'i bod hi'n ddiogel yng ngwaelod 'y mag ysgol, doedd dim rhaid i fi wneud dim byd. Gallai ddod 'da fi i'r ysgol bob dydd nes 'mod i'n gadael am y coleg – doedd dim ots. Roedd yna bob amser *obaith* y gallwn i ddod dros fy swildod a gadael i Lisa Snow wybod sut roeddwn i'n teimlo. Roedd andros o ffordd bell i fynd cyn y down yn agos at hynny, wrth gwrs, ac roedd angen iddi feirioli cryn dipyn gynta, gan ddechrau rhoi'r argraff ei bod hi'n meddwl damaid yn fwy ohona i na'r baw ci roedd rhywun yn ei gael o dan wadn ei esgid o bryd i'w gilydd.

Roedd y glustog wedi bod 'da fi yn yr ysgol ers wythnos a finne – gwae fi! – wedi dechrau anghofio'i bod hi yno, yn llechu yng ngwaelod fy mag.

Cyn y wers chwaraeon, roeddwn i wedi tynnu fy siorts a fy nghrys-T mas yn reit ddidaro a gadael y bag ar y fainc. Rhaid mai yn y fan honno y sylwodd Cai Tshops fod rhywbeth glas blodeuog yn fy mag, ond weles *i* ddim ei fod e wedi sylwi. Ceues y sip pan sylweddoles i fod darn bach iawn o ddefnydd y glustog yn y golwg, ac anghofio am y peth.

Ar ôl y wers chwaraeon ac amser whare, gwers Gymraeg oedd yn ein disgwyl, ond roedd ymarfer parti llefaru'r Chweched at Steddfod yr Urdd yn y stafell lle roedden ni i fod ar lawr cyntaf Bloc Ec, felly roedd gofyn ciwio tu allan.

’Wy wrth fy modd ’da Cymraeg achos bod Lisa Snow yn yr un dosbarth â fi, ac roedd hi yno heddi, draw ar ben blaen y ciw ’da’i ffrindiau yn cadw sŵn wrth ddynwared y lleisiau llefaru a ddôi o’r stafell.

Yn sydyn, dois yn ymwybodol fod Cai yn bachu fy mag oddi ar fy ysgwydd. Wnes i ddim cofio’n syth am y glustog – a hyd yn oed pe bawn i wedi cofio, doedd gen i ddim rheswm dros gredu y byddai Cai yn agor y bag er mwyn archwilio’i gynnwys; mae dwyn bagiau a’u lluchio dros ochr y grisiau neu eu dympio ym mhen pella safle’r ysgol yn hen gêm. ’Wy wedi tyfu allan ohoni, ac ro’n i’n credu bod Cai wedi gwneud yr un fath bellach, ond rhaid ’mod i wedi camgymryd.

Roedd y bag yn hongian o’i law dros ochr canllaw’r grisiau. Anwybyddes y peth a throi ’nôl i wrando ar griw Lisa yn ffug-lefaru gan adleisio’r hyn a glywent o’r tu mewn i’r stafell. A dyna pryd y cofies i am y glustog!

Roedd Cai eisoes wedi agor y bag.

‘Na!’ gwaeddes, a cheisio bachu’r bag o’i law. Ond roedd fy arswyd amlwg yn anogaeth i Cai ac un neu ddau o’r bechgyn eraill fwrw ’mlaen i archwilio’r cynnwys.

Tynnodd Cai y glustog allan. Teimles chwys ar fy arlais.

‘Dod â hi i Gwenno nes i,’ dechreues egluro. ‘Anghofiodd hi fynd â hi gyda hi bore ’ma.’

‘Beth ma Gwenno moyn clustog yn yr ysgol?’ holodd Cai, ddim yn credu gair.

‘’Wy ddim yn gwbod!’ medde fi. ‘Ond hi na’th e. Hi sy bia fe. Dim ond dod ag e iddi ’wy i.’

Dechreuodd y bechgyn daflu’r glustog o un i’r llall.

‘Hei, bois,’ dechreues, heb boeni’n anferthol bellach beth wnaen nhw â’r glustog. Y cyfan oedd yn bwysig oedd nad oedd neb yn mynd i wybod mai fi a'i gwnaeth hi, ac i Lisa Snow ar hynny. Ond fe ddigwyddodd yr union beth oedd yn mynd i roi'r sbanyr yn y wyrcs i fi, on'd do fe? Yr unig beth a allai fod wedi chwalu 'mywyd i, fy nhynnu i'n ddarnau a fy narn-ladd – fel roedd Miss Hanes yn dweud oedd yn digwydd i fradwyr yn yr Oesoedd Canol. *Yr unig beth...* oedd i Gwenno gerdded lawr y coridor yr union eiliad honno a dod wyneb yn wyneb â Cai, yntau'n estyn y glustog iddi a hithe'n edrych arno fe fel pe bai ganddo gyrn yn tyfu o'i dalcen.

'Beth yw hwn?'

'Un ti yw e – doth Guto â fe i ti.'

Doedd 'da Gwenno ddim hyd yn oed y gras i edrych arna i'n ddigon hir i allu dala'r erfyniad yn fy llygaid iddi afael yn y glustog â'r galon fawr goch arni a cherdded yn ei blaen, a gofyn i fi *wedyn, ar ôl mynd gatre* beth oedd hynna i gyd. Na.

'Ddim un fi yw e,' medde hi, cyn stwffio'r glustog 'nôl i ddwylo Cai a cherdded yn ei blaen ar hyd y coridor gan fy ngadael i fel adyn coll yn yr anialwch a'r gwynt yn rhuo heibio 'nghlustiau i i fy atgoffa mor unig oeddwn i a lle mor greulon yw'r byd.

'Beth yw hyn?' Gwenai Cai arna i.

'Beth yw beth?' gofynnes inne gan geisio ennill amser i fi fy hun a gweddïo fod y blincin adrodd yn dod i ben er mwyn dyn!

'Pam ti'n gweud mai Gwenno bia hon... a Gwenno'n amlwg *ddim* bia hi...?'

Roeddwn i'n hollol sych. Roedd fy ngheg yn agor a chau fel ceg pysgodyn aur. Safai'r bechgyn o 'mlaen i gan aros am fy ateb.

'Un ti yw hi?' holodd Tomos Tit.

'Neu ti *na'th* hi?' gofynnodd Andrew Hyll gan archwilio'r glustog yn nwylo Cai yn fanylach. 'Ti winiodd y galon 'na arni?'

Saethodd fy mraich allan i fachu'r glustog ddiawl gan Cai.

Bellach roedd y merched wedi troi i edrych beth oedd achos y piffian chwerthin yn ein rhan ni o'r ciw.

'Ca' dy geg!' saethes at Tit a Hyll. 'Jyst caewch 'ych cege!'

'Dere 'mla'n, ni moyn ateb!' mynnodd Scryff ac roedd 'na arlliw o fygythiad yn ei lais dwfn.

Teimles y tymer yn codi – tymer cael fy nghornelu a dim gobaith dod allan ohoni.

'Ffowcyn Ellis!' gwaeddes mewn rhwystredigaeth bur.

Eiliad o dawelwch, a wynebau'r bechgyn o 'mlaen i'n gwelwi…

'Iiiie?' daeth llais Ffowc o'r tu ôl i fi.

Trois ato yn fy arswyd, a 'nwylo'n gwasgu'r glustog yn stwnsh o 'mlaen i.

'I chi, Syr!' medde fi heb lyfu 'ngweflau a chyn i fi allu meddwl, ac estyn y glustog iddo.

Cochodd Ffowc, a chlywes rai o'r merched yn tynnu gwynt. Teimles lygaid y bechgyn yn fawr fawr wrth fy ymyl, yn methu credu…

'Bbbbbeth…?'

Doeddwn i erioed wedi gweld Ffowc yn methu dod o hyd i rywbeth i'w ddweud o'r blaen. Syllai 'nôl a 'mlaen, a'i dalcen wedi crychu'n hafn, oddi wrtha i i'r glustog, a bu'n straen i mi geisio cadw wyneb syth wrth sylweddoli maint ei wewyr. Doedd ganddo ddim syniad beth oedd y gêm. Doedd hi ddim yn hawdd iddo ffrwydro: byddai fy ngheryddu yn weithred ofnadwy o angharedig ac ystyried 'mod i'n rhoi rhywbeth iddo – a chalon goch ar hynny!

'Ppppa… pppa siort o…?'

Roeddwn i'n hynod ymwybodol y *gallai* ffrwydro er hynny, felly dechreues feddwl am esboniad digon rhesymol. Ond roedd hynny'n anodd, os nad amhosib. Dweud dim oedd y syniad callaf. Gadael Ffowcyn yn ei wewyr, a pheidio cynnig esboniad.

Ymhen eiliadau, a deimlai fel oes, fe sgrwnsiodd Ffowcyn y glustog yn ei law, cyfarth rhyw ebychiad na ddeallodd neb, a cherdded yn ei flaen yn gochach nag y gweles ef erioed o'r blaen. Syrthiodd fy llygaid ar wynebau cegagored y bechgyn.

'Laff,' medde fi, fel pe bawn i wedi cynllunio'r holl beth.

'Ti'm yn gall,' medde Cai o'r diwedd.

'Nac 'dw!' gwenes. 'Ond o'dd hi werth e i weld 'i wyneb e.'

Ni chwestiynodd 'run ohonyn nhw fi ymhellach. Go brin eu bod nhw *wir* yn credu 'mod i wedi dod â'r glustog i'r ysgol yn fwriadol er mwyn ei rhoi hi i Ffowc i wneud iddo fe deimlo'n anghysurus. Ond roedd y ffaith 'mod i *wedi* gwneud hynny wedi peri iddyn nhw anghofio tynnu 'nghoes i ynghylch beth oedd fy ngwir reswm dros ddod â chlustog a chalon fawr goch arni 'da fi i'r ysgol.

'Rispect!' medde Scryff a chlapio'i law wrth fy un i. Troesai syndod y bechgyn yn chwerthin bellach, wrth i'r criw ail-fyw lletchwithdod Ffowc wrth ei gilydd ac wrtha i. Roedd y merched wedi dal y cyfan hefyd, ac wrth droi rownd i godi 'mag ysgol, gallwn i dyngu i fi weld gwên lydan ar wyneb Lisa oedd wedi'i hanelu i 'nghyfeiriad i.

Yng ngwaelod fy nghalon, roeddwn i'n gwbod na fyddwn

i byth wedi rhoi'r glustog i Lisa, a phe bai rhyw aflwydd ar fy meddwl wedi achosi i mi wneud y fath beth, gwyddwn o'r gorau mai sarhad a gwawd a gawn ganddi am fentro cyflwyno'r fath rodd iddi. A nawr, roeddwn i wedi ennill edmygedd y bechgyn – a'r wên gyntaf erioed gan Lisa Snow.

Mae bywyd *yn* werth ei fyw!

22.

ROEDD WYNEB MAM yn wyn fel sialc (gwyn) a Sam ag ôl llefen ar ei llygaid hi eto. Fe fydden i wedi credu bod Mam wedi cael ment arall ac mai dyna pam roedd Sam yn llefen ond roedd y ddwy'n gafael yn dynn, dynn yn ei gilydd, fel pe bai eu bywydau nhw'n dibynnu ar hynny.

'Pip,' medde Sam wrth weld y dryswch ofnus ar fy wyneb i. Ond fe fethodd hi gario 'mlaen, gan fy ngadael i mewn mwy fyth o ddryswch ofnus. Powliodd y dagrau i lawr ei bochau. Go brin fod Pip wedi gwneud iddi lefen. Go brin fod y gallu gan Pip i wneud i wybedyn lefen. Doedd e erioed wedi dweud gair cas wrth yr un ohonon ni, a phrin fod unrhyw beth yn gwneud iddo gynhyrfu mewn unrhyw fodd. Un cŵl oedd Pip. Shwt ar wyneb y ddaear roedd Pip wedi gwneud i Sam lefen nes bod Mam yn ei magu hi yn ei breichiau a honno'n llefen hefyd?

'Mae e wedi mynd,' medde Sam.

'Odi,' medde fi yn ddigon call. Beth oedd y gofid? Roedd Pip yn mynd i rywle neu'i gilydd yn dragywydd. 'I Luton i brynu cwch.'

Ni ddwedodd yr un o'r ddwy air, ac roedd 'na rywbeth rhyfedd iawn am y distawrwydd.

Ac wedyn fe sylweddoles i mai'r unig ffordd y gallai Pip gymell y fath ymateb yn y ddwy oedd, rywsut neu'i gilydd, drwy beidio â bod.

'Gath e ddamwen,' medde Mam. 'Ac fe fuodd e farw.'

Do. Fe aeth Pip. Yn bellach na Basingstoke a Halifax a Cork a Chaeredin a Luton a'r lleuad a Mars a GRB090423.[61] Fe aeth e i'r lle pella un. Ac eto, 'wy ddim yn gwbod pam maen nhw'n dweud hynny chwaith, achos eith Pip ddim i unman rhagor. Mae e wedi dod i ben. Llwch fydd e, dan ein traed ni. A'r peth rhyfedd yw ei fod e wedi bod dan ein traed ni'n amal mewn ffordd o siarad, yn dod yma, yn cysgu yn ei gwdyn ar y soffa neu ar y llawr, ond fuodd e erioed dan draed ein calonnau ni, os ydych chi'n dyall beth sy 'da fi. Doedd dim digon o sŵn 'da fe, dim digon o drafferth yn ei gylch e, iddo fe fod dan draed go iawn. Darn o'r aer oedd Pip – a darn o'r aer fydd e nawr am byth. Darn o'r aer a phishyn o'r pridd. Maen nhw'n dweud bod rhai o atomau Iwl Cesar a'r deinosoriaid a Marilyn Monroe yn rhan o'n gwneuthuriad ni i gyd, bob un ohonon ni. Fe fydd Pip hefyd yn dod yn rhan ohonon ni, a'i atomau'n dal i fyw am byth. Roedd Darwin yn deall hynny, a Dic Jones.

Damwain car laddodd e. Fe gafodd yn ei ben ei fod e moyn dechrau dysgu shwt i rwyfo (nid hwylio – fyddai e byth wedi gallu fforddio mwy na chwch rhwyfo), ac roedd 'da fe'i lygad ar gwch yn Luton o bob man. Lori artíc aeth ag e, mewn fflach, a Pip heb wybod dim ei fod e'n mynd, hyd yn oed. Sy'n well na chwympo mas o gwch rhwyfo a boddi yn y môr, 'wy'n siŵr.

Stwffio melancolia wedi'r cyfan. Roien i rywbeth am gael peidio â'i deimlo fe.

Fe ofynnodd Elliw i Mam cyn mynd i'w gwely am

61 GRB090423 – seren bellaf y bydysawd, sydd tua 13.035 biliwn o flynyddoedd golau i ffwrdd, sy'n golygu mai dyma'r peth hynaf yn y bydysawd hefyd. Mae edrych arni fel edrych 'nôl ar ddechrau amser.

beidio byth â golchi'r llysiau cyn eu coginio o nawr 'mlaen iddi gael gwneud yn berffaith siŵr fod pishyn o Pip tu fewn iddi hithe hefyd. Ac fe ddwedodd Mam mai pishyn o Pip yw Elliw 'ta beth. Elliw – a Gwenno a Rhodri a Ben a finne.[62]

'Wy ddim yn moyn sgwennu rhagor.

---

62 Mae Mam yn rhyw fath o ddyall pethau fel geneteg a *natural selection* chi'n gweld (yn wahanol i Sam, sy'n credu mai bocs o siocled organig yw *natural selection*).

23.

GLADDON NI PIP. Yn y crem, er bod Sam a Mam yn moyn ei gladdu fe yn yr ardd, ond roedd y rheolau'n dweud nad oedden ni'n cael gwneud hynny. Disgwyliwn brotest gan Mam, ond fe fuodd hi'n ddistaw ar y mater – am unwaith. Wedi'r cyfan, fydd Pip ddim callach lle mae e nawr.

Roedd llawer o bobol nad oedden ni'n eu nabod nhw yn y crem. A doedd Sam a Mam ddim yn nabod pawb chwaith, ddim o bell ffordd. Roedd teuleidiau o bobol 'na, a phawb i'w weld yr un mor drist â ni. Fel 'na oedd Pip. Fel awel fach ar ddiwrnod crasboeth o haf, yn chwythu yma a thraw heb dynnu fawr o sylw ato'i hun, ond yn cofleidio pawb hefyd.

Mae Mam a Sam 'da'i gilydd lot mwy – hynny yw, maen nhw'n sownd yn ei gilydd, breichiau am ei gilydd, a'u llygaid nhw'n sownd yn ei gilydd, yn fetafforaidd felly hyd yn oed, pan nad ydyn nhw'n cyffwrdd.

Od ynde? Fod Pip wedi gorfod marw cyn i ni sylwi ei fod e 'na, bron. A chyn i'r ddwy riant 'ma sy 'da ni ddyall cymaint sy gyda nhw.

''Wy'n dod o hyd i Dad, ac ma fe'n bygran bant cyn i fi ddod i'w nabod e,' medde Gwenno, ond ddim yn gas.

'O't ti *yn* nabod Pip!' medde Elliw wrthi.

'Ddim fel tad,' dadleuodd Gwenno.

'Pwy wahanieth?' holodd Rhodri. 'Ti'n meddwl y bydde fe wedi newid dros nos?'

'Fydde fe byth wedi dechre bihafio fel ma tade er'ill yn bihafio,' medde fi.

''Wy ddim yn gweud 'ny…' medde Gwenno'n wan.

'Fydde fe ddim gwahanol i beth fuodd e erioed. Ond fe fydden *i* wedi'i weld e'n wahanol.'

'Cario beth o'dd y lori artíc?' holodd Ben a rhoddodd Rhodri glipsen sydyn i'w ben e ar ein rhan ni i gyd.

Yn y crem,[63] fe glywon ni 'Plant y Fflam' Edward H, un o'r hen ganeuon oedd yn mynd rownd pan oedd Mam a Sam a Pip yn fach. Ac fe ganon ni 'Stairway to Heaven' (sy'n yffach o gân anodd, ond roedd un o deuluoedd Pip yn Lloegr yn moyn hi, wedyn roedd rhaid treial canu. O'n ni'n swno fel côr o gathod yn cwrcatha erbyn cyrraedd '*Oh, it makes me wonder*'), ac fe adroddodd Mam a Sam 'Cofio', Waldo Williams, mas bennill wrth bennill am yn ail â'i gilydd,

---

63 Yn y crem, fe gofiais bod angen i fi gynnwys yr ateb i'r pos a osodais i chi ynghylch wyth peth y reffarî. Dyma'r ateb:

1) cerdyn melyn
2) cerdyn coch
3) chwiban
4) llyfr nodiadau
5) beiro
6) oriawr (mae rhai reffarîs yn gwisgo dwy ond dim ond un 'wy'n cyfri at ddiben y pos hwn)
7) darn arian (i'w daflu er mwyn cael gweld pwy sy'n cicio gyntaf)
8) pêl.

Pip ofynnodd y cwestiwn i fi o gwmpas adeg Dolig ac fe gofiais yn ei angladd yn y crem fod angen i fi roi'r ateb i chi.

a llwyddo i wneud hynny'n eitha deche, whare teg, heb dorri lawr yn embarasing.[64]

'Blannwn ni goeden,' medde Mam.

'Blannwn ni ddeugian,' medde Sam. 'Un am bob blwyddyn o'i oes o.'

Blannon ni bedair yn y diwedd, achos does dim lle yn yr ardd i ddeugain. Un am bob degawd o'i oes e. Dwy onnen a dwy dderwen. Fe ddaw'r ynn cyn y derw, ond fe fydd y pedair yno ar ein holau ni, medde Mam. Rhyfedd meddwl am hynny.

A rhyfedd meddwl hefyd shwt mae rhywun yn cael gwbod cymaint mwy am berson ar ôl iddo fe farw na phan fydd e'n fyw. Ar ôl iddo fe farw, fe ddysges lawer am Pip. Bron nad ar ôl iddo fe farw y sylwon ni'n iawn ei fod e wedi bod 'ma o gwbwl.

---

64 'Wy ddim yn meddwl fod 'da Pip, pan oedd e byw, lawer o syniad pwy oedd Waldo Williams heb sôn am 'Cofio', ond dyw hynny ddim yn bwysig. Mae hi'n gerdd sy'n sôn am bethau pwysig sy wedi dod i ben, fel Pip. Rhaid bod Waldo ddim yn sylweddoli bod atomau Pip a phawb arall yn oesol. Ond fel GBR090423, mae 'Cofio' Waldo yn gwneud i fi feddwl mor fach ydyn ni, ac mor fawr yw amser, sy'n gallu rhoi llond twll o ofan i rywun 14 oed. Neu rywun 94 oed. (Ar ôl 94, chi'n colli trac ar realiti, ac mae cofio pwy ydych chi yn dod yn bwysicach na faint o sêr sy yn y Llwybr Llaethog*). Ta beth a tha p'un 'ny. Fel 'Ti yw' gan y prifardd Dewi Pws Morris, mae 'Cofio' yn gerdd sy'n gwneud i chi feddwl.

*100-400 biliwn o sêr neu 1-4 x 1011. A dim ond y Llwybr Llaethog yw hynna: mae dros 170 biliwn o alaethau yn y bydysawd. Sy'n rhoi bach o bersbectif ar 'Pa drôns wisga i heddi, glas neu goch...?'.

Roedd e'n arfer mynd i'r ysgol 'da Sam ac yn ffrindiau gorau 'da hi. Wedyn aeth Sam i'r coleg ym Mangor lle syrthiodd hi mewn cariad 'da Mam (o Aberystwyth). Ond roedd Pip yn treulio hanner ei amser yn stafell Sam (ym Mangor), yn cysgu yn ei gwdyn ar y llawr neu yn y gadair freichiau. A phan benderfynodd Mam a Sam mai gyda'i gilydd roedden nhw am fod, wnaeth hynny ddim newid dim ar fywyd Pip. Daliai i fynd a dod heb darfu dim ar y ddwy.

Mop o wallt lliw gwellt oedd wedi dechrau britho. Llygaid brown a chroen oedd yn hoffi'r haul. Llipryn tenau, byrrach na Rhodri bellach, mewn jîns a thwll yn y pen-glin. Siwmper o Oxfam, os nad yr un werdd wlân, a fflîs las tywyll â llun Bob Dylan yn pilo ar ei blaen hi.

Dyna fe i chi. Pip. Ci anwes oedd damaid bach yn strae hefyd.

24.

DIGWYDDODD RHYWBETH RHYFEDD iawn heddiw. Fe sgwennes i gerdd:

'TI OEDD'

Ti oedd y papur wal
Na sylwes ar dy batrwm bron,
Dim ond gwbod, ar ôl dy bilo bant
Dy fod ti wedi bod;

Ti oedd chwarter i bedwar
Fy nghyrraedd gatre bob prynhawn
A gwyrdd dy siwmper dyllog, flêr,
Yn llonni a llenwi'r stafell fyw;

Ti oedd haf a gaeaf
Sy'n mynd, cyn dod yn ôl
Mor sicr â'r dydd wedi'r nos –
Nes i ti beidio;

Ti oedd fy nghath
Weithiau yma, weithiau ddim,
Doedd dim dal a dweud y gwir.
Fel 'na mae cathod.

Ti oedd fy nghi anwes,
Er na lyfest ti fi erioed, na chyfarth chwaith,
A doedd dim tennyn am dy wddwg –
Dim ond am dy galon.

Ti oedd y llau oedd yn byw yn fy ngwallt
Yn yr ysgol fach, sy'n dal 'mla'n i gosi
Hyd yn oed ar ôl i lori artíc o grib fawr
Eu lladd nhw.

Ti oedd Pip
Oedd yn byw 'da ni
Weithiau.
A ti oedd Dad.[65]

---

65 Gyda diolch i'r prifardd Dewi Pws Morris, er mai 'Ti oedd' yw hon a 'Ti yw' oedd ei un e – gwahaniaeth ffwndamental (er nad ffwndamentalaidd) – felly croeso iddo fy siwio achos fydd ei ddadl ddim yn dal dŵr yn y llys. Sylwer hefyd nad oes odl yn hon, yn wahanol i 'Ti yw'. Croeso i'r darllenydd benderfynu drosto / drosti'i hun ai da o beth yw hynny ai peidio. Sylwer hefyd ar y tinc cynganeddol yn llinell olaf yr ail bennill (llonni / llenwi). Rhyfedd ynde? 'Wy wedi hela blynyddoedd yn treial sgwennu cerdd i Lisa a ffaelu am fod yr awen yn hen fuwch sy'n cwato oddi wrtha i drwy'r amser. Chi'n whilo amdani ar hyd eich oes a ddim yn cael whiffad ohoni, ac wedyn, pan fydd y'ch cefen chi wedi'i droi, mae hi'n crasio fewn i chi fel JCB a'i frêcs e wedi torri. Neu lori artíc.

25.

DOEDD DIM GOLWG o neb yn y tŷ pan gyrhaeddes i gatre o'r ysgol rai dyddiau ar ôl i ni gladdu Pip.

Dôi sŵn clic-clic o'r lolfa. Sŵn rhyfeddol o debyg i rywun yn whare gêm ar y *Playstation* neu un o'r lleill, ond go brin mai dyna oedd e a Mam wedi gwahardd y cyfan.

Es i'r gegin i ddiosg 'y nghot a 'mag. Anaml y bydd y tŷ mor ddistaw â hyn, os byth. Gwrandawes ar y tawelwch a chyfadde wrtha i fy hunan fod Mam yn iawn: does dim byd i guro distawrwydd llethol nawr ac yn y man.

Ond daliai'r sŵn clic-clic i ddod o'r lolfa, ac fe feddylies falle mai Sam oedd yno, wedi smyglo gêm i'r tŷ tu ôl i gefen Mam. Sleifies draw yno'n ddistaw bach i'w dychryn.

Gallwn weld fod y ceblau a lîd y clustffonau wedi ymddangos o rywle am y tro cyntaf ers wythnosau – a throis y gornel yn sydyn i ddychryn Sam...

'Mam!' ebyches yn fy syndod. Trodd hithau'n lwmp o euogrwydd a thynnu'r clustffonau fel pe bai ganddi obaith o'u cuddio rhagof.

'Faint o'r gloch yw hi?' gofynnodd hithau, a cheisio tynnu clustogau'r soffa dros y *consoles* a'r casys gêmau oedd ganddi wrth ei hymyl.

'Amser i ti ddechre esbonio,' medde fi yn rial cythrel.

Edrychodd arna i'n hir a gwên fach lipa ar ei gwefusau cyn codi a fy arwain i i'r gegin iddi gael rhoi'r switsh ymlaen ar y tegell.

'Bôrd o'n i,' medde hi'n euog. 'A neb yn gwmni.'

'Beth am yr ieir?' holes yn sarcastig. Bu eu clwcian parhaus yn ormod lawer o 'gwmni' i ni ers iddyn nhw gyrraedd, a heblaw am farw Pip, byddai llawer mwy o gwyno wedi bod. Erbyn hyn, serch hynny, rhaid cyfadde fod y clwcian yn dechrau suddo i mewn i'n penglogau fel sŵn cefndirol i'w anwybyddu, yn debyg i orchmynion domestig Mam.

Anwybyddodd Mam fi.

'Es i i whilo am gwpwl o lyfre yn y bocsys yn yr atig, ond fe ddes i o hyd i'r gêm. Rhaid bod Sam wedi anghofio'i gwerthu hi ar *e-bay* 'da'r holl bethe erill. Chwilfrydedd, 'na i gyd o'dd e i ddechre,' ceisiodd roi siwgr ar y bilsen. 'Ond mae e damed bach mwy na 'ny nawr.' Cochodd yn euog. 'Dim ond yn y prynhawne, cofia! 'Wy *yn* gorffen 'y ngwaith gynta bob dwrnod,' ychwanegodd ar frys. 'Ma hi'n unig yn y tŷ 'ma ers i Sam fynd mas i weitho.'

Sam druan. Yn gweitho o fore gwyn tan brynhawn yn y twll londyrét 'na tra bod Mam yn hela'i hamser yn whare gêms.

'A 'wy'n colli cwmni Pip,' medde Mam wedyn. Rhois fy mhen ar dro ac edrych arni'n feirniadol am feiddio defnyddio marwolaeth Pip fel esgus dros ei dichell. Trodd Mam ei golwg at y llawr.

Falle 'mod i'n gwneud cam â hi.

'Dychmyga mai dim ond wedi mynd i Halifax mae e,' ceisies ei chysuro. 'Neu Basingstoke.'

'Ie,' cytunodd Mam yn drist. 'Fydd e 'nôl mewn drwy'r drws 'na unrhyw ddwrnod nawr. Cadw 'mla'n i deimlo fel 'na sy angen. Cau'r gwir mas.'

'Beth wyt ti'n neud ohono fe yw'r gwir,' medde fi, a meddwl 'mod i'n dweud rhywbeth dwfwn tu hwnt, beth bynnag oedd e.

'Dal 'mla'n i gredu y gwelwn ni fe,' medde Mam a'i

llygaid yn llawn dop o ddŵr. 'Credu rhwbeth sy ddim yn wir er mwyn ymdopi'n well. Falle bod 'na werth i hynny wedi'r cyfan.'

'Feta i ti fydd e 'nôl 'ma yr eiliad clywith e sŵn sosbenni swper,' medde fi gan ofan braidd 'mod i'n mynd dros ben llestri.

Ond yn lle dweud wrtha i am gau 'mhen, fe afaelodd hi ynof i a 'ngwasgu i'n dynn fel mae hi a Sam wedi bod yn ei wneud i'w gilydd yn aml y dyddiau diwetha 'ma.

Trodd ei sylw'n ôl at y gêmau.

'Do's dim i weud na allwn ni dreial bod yn gymhedrol,' medde Mam wrth dynnu'n rhydd yn y diwedd. 'Gewch chi brynu un neu ddwy o gême...'

Ddwedes i ddim wrthi 'mod i wedi hen ddod dros golli'r gêmau ac yn ddigon bodlon fy myd hebddyn nhw. Ond fe wnes i'n siŵr ei bod hi'n teimlo cywilydd cymwys am ei brad.

'Ma'r stwff yn iawn cyhyd â mai *ti* sy'n 'i ddefnyddio fe, yw e Mam? Cyhyd â'i fod e'n gweitho i *ti*!'

'O, dere nawr, Gut! Paid â bod fyl'na! 'Wy'n teimlo'n ddigon euog fel ma hi...'

Edryches arni'n hir a phenderfynu cadw ei chyfrinach am y tro. Roedd y lleill yn bownd o ddod i wybod cyn pen dim beth bynnag – allwch chi ddim cuddio'r 'stwff' yn hir yn 7 Hewl Pentre.

'Ti wedi dod dros dy ment 'te?' holes i Mam, ac fe wenodd hi arna i'n annwyl fel pe bawn i'n dal i fod yn bump oed.

'Am nawr,' medde hi. 'Nes i fi anghofio 'to beth yw'r pethe sy'n bwysig mewn gwirionedd.'

Es i i'r gegin i wneud cwpanaid o de ac fe ddilynodd hithe fi.

‘Wyt ti wedi gweud wrth y cariad ’ma shwt wyt ti’n teimlo?’ gofynnodd hi wedyn gan fy nhaflu oddi ar fy echel braidd.

Ac eto, roeddwn i’n reit falch o allu rhoi geiriau i’r hyn roeddwn i wedi’i benderfynu yr eiliad y gweles i’r wên ar wyneb Lisa tu allan i’r stafell Gymraeg y diwrnod hwnnw.

‘Naddo,’ medde fi. ‘A ’wy ddim yn mynd i neud ’ny.’ Gollynges ddwy lwyaid o de i’r tebot. ‘Weithe, ma’n well gadel i bethe fod am bach iddon nhw ga’l tyfu yn ’u hamser ’u hunen.’

Arllwyses y dŵr dros y te.

‘Ti moyn gêm cyn i’r lleill ddod gatre, ’te?’ gofynnes i Mam, oedd yn trio meddwl am rywbeth i’w ddweud ynglŷn â Lisa. ‘Whala i ti.’

Hefyd yn yr un gyfres:

£5.95

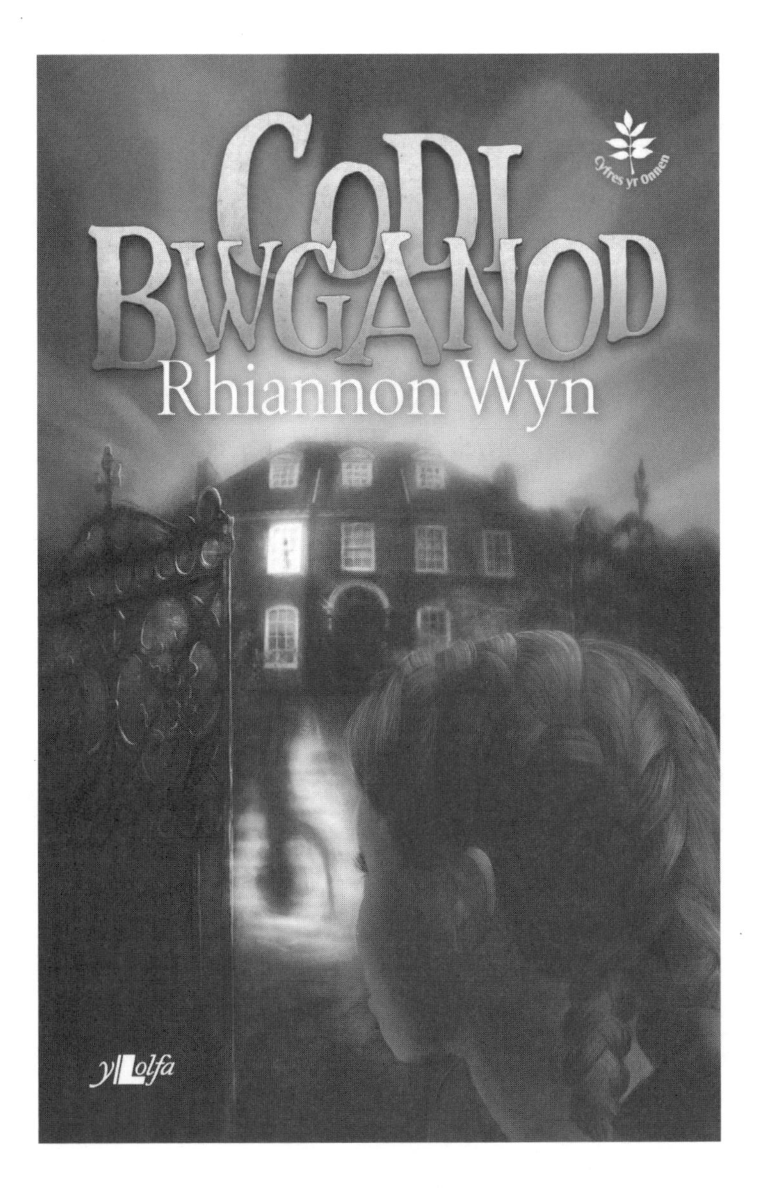

£5.95

Am restr gyflawn o lyfrau'r Lolfa, mynnwch
gopi o'n catalog newydd, rhad
neu hwyliwch i mewn i'n gwefan

www.ylolfa.com

lle gallwch archebu llyfrau ar lein.

ylLolfa

TALYBONT CEREDIGION CYMRU SY24 5HE
ebost ylolfa@ylolfa.com
gwefan www.ylolfa.com
ffôn 01970 832 304
ffacs 832 782